an
poche

Michèle Malavieille
Agrégée de l'Université
Professeur h. au lycée Lakanal (Sceaux)

Wilfrid Rotgé
Agrégé de l'Université
Professeur de linguistique anglaise
à l'université Paris-Ouest Nanterre La Défense

© **Hatier**, Paris, juin 2010
ISBN 978-2-218-93832-0
ISSN 2101-1249

Conception graphique et réalisation : c-album

■ PRÉSENTATION

Le *Bescherelle poche anglais* est un ouvrage nomade
destiné à tous ceux qui veulent consolider leur anglais
pour des raisons scolaires, professionnelles ou privées.
Il réunit **en un seul volume** les outils indispensables
pour accompagner un apprentissage efficace de l'anglais.

Grammaire

Chaque chapitre traite le point concerné de façon synthétique
et clairement hiérarchisée. La rubrique « Notez bien »
cible les **sources d'erreurs fréquentes** et les particularités
de l'anglais américain.

Du français à l'anglais : trouver le mot juste

Classés par ordre alphabétique depuis le français,
100 points de passage « délicats » vers l'anglais
avec, pour chaque entrée, les solutions et leurs exemples.
En annexe, les principales différences entre **anglais
britannique et américain**.

Vocabulaire

Organisé en vingt thèmes, le vocabulaire essentiel
avec pour chacun :
– un test de **prononciation** (Vous les connaissez.
Savez-vous les prononcer ?) ;
– des **listes** de mots classés (noms, adjectifs, verbes)
et une série d'**énoncés** pour les apprendre en contexte
(Un peu de conversation).

Conjugaison

15 tableaux types et la liste des **verbes irréguliers**.

> Cet ouvrage correspond aux niveaux B1-B2
> du Cadre Européen Commun de Référence pour les Langues.

Compléments multimédia @

Sur le site **www.bescherelle.com**, vous trouverez, pour vous
entraîner **à l'oral,** l'enregistrement intégral de la rubrique
« Vous les connaissez. Savez-vous les prononcer ? ».
Ce contenu est **accessible gratuitement** pour les utilisateurs
du livre (saisie de mots clés figurant dans l'ouvrage).

SOMMAIRE

GRAMMAIRE

LE GROUPE VERBAL

LE GROUPE NOMINAL

LA PHRASE

DU FRANÇAIS À L'ANGLAIS : trouver le mot juste

VOCABULAIRE

CONJUGAISON

INDEX p. 252

ALPHABET PHONÉTIQUE

Voyelles brèves

/ɪ/	big, which, England
/e/	bed, said
/æ/	hat, that
/ɒ/	got
/ʊ/	good, would
/ʌ/	luck, something, does
/ə/	an, again

Voyelles longues

/iː/	see, sea, believe
/ɑː/	father, dance
/ɔː/	pork, walk, taught, thought, law
/uː/	too, two, whose, rule
/ɜː/	bird, work, heard

Diphtongues

/eɪ/	snake, mail
/aɪ/	cry, while, might
/ɔɪ/	toy
/əʊ/	goat, hope, ago, don't, those
/aʊ/	now, about, down, hour
/ɪə/	here, hear
/eə/	bear, there, rare
/ʊə/	tour

Consonnes

/θ/	thing
/ð/	this
/z/	dogs
/ʃ/	sugar, shall
/ʒ/	treasure
/tʃ/	choose
/dʒ/	just
/ŋ/	singing
/j/	yet

Grammaire

Abréviations utilisées
pers. : personne
sing. : singulier
plur. : pluriel
masc. : masculin
fém. : féminin
sb : *somebody*
sth : *something*
qqn : quelqu'un
qqch. : quelque chose

1 Be

CONJUGAISON DE *BE*

Présent

AFFIRMATION		
I am	he **is**	we/you/they **are**
NÉGATION		
I**'m** not	he**'s** not	we/you/they**'re** not
INTERROGATION		
am I⸮	is he⸮	**are** we/you/they⸮

Formes contractées fréquentes : *am not* ➜ *'m not* ;
is not ➜ *'s not* ou *isn't* ; *are not* ➜ *'re not* ou *aren't*.

Prétérit

AFFIRMATION	
I/he **was**	we/you/they **were**
NÉGATION	
I/he **wasn't**	we/you/they **weren't**
INTERROGATION	
was I/he⸮	**were** we/you/they⸮

Formes contractées fréquentes : *was not* ➜ *wasn't* ;
were not ➜ *weren't*.

BE AUXILIAIRE

Be **auxiliaire** sert dans la conjugaison des **temps en *be* + -*ing***
et de la **voix passive**.

- I must go now. It**'s** get**ting** late. [*be* + -*ing* au présent]
  Il faut que je parte. Il se fait tard.
- **Was** it snow**ing** when you landed⸮ [*be* + -*ing* au prétérit]
  Est-ce qu'il neigeait quand vous avez atterri⸮
- All flights **were** cancelled. [*be* au passif]
  Tous les vols ont été annulés.

AUTRES EMPLOIS DE *BE*

➤ **Be** s'emploie souvent comme « être » en français.

- I'**m** in London.
  Je **suis** à Londres.

- He **was** furious when I left.
  Il **était** furieux quand je suis parti.

➤ **Be** en anglais / « avoir » en français

> be hungry/thirsty : avoir faim/soif
> be cold/warm/hot : avoir froid/chaud/très chaud
> be afraid : avoir peur
> be right/wrong : avoir raison/tort

➤ On emploie **be** pour parler de l'âge ou dans les mesures.

- I am 20 (years old), I'm 1 m 78 and I'm 72 kilos.
  J'**ai** vingt ans, je **mesure** 1,78 m et je **pèse** 72 kg.

➤ *There* + *be* conjugué se traduit par « il y a » + nom (voir p. 133).

- There'**s** a fly in my soup.
  Il y a une mouche dans ma soupe.

NOTEZ BIEN
« Comment **vas**-tu ? » se dit *How **are** you?*

HAVE AUXILIAIRE

Have auxiliaire sert à former le present perfect et le past perfect.

- I haven't seen that film.
  Je n'ai pas vu ce film.

- Had you seen it before?
  Tu l'avais vu avant?   ► CONJUGAISON DE *HAVE* AUXILIAIRE P. 241

HAVE LEXICAL : CONJUGAISON

Quand *have* a un sens (« avoir, posséder », « consommer, prendre »), c'est un verbe lexical. Dans ce cas, il se conjugue avec l'auxiliaire *do*.

Présent

AFFIRMATION		
I **have** it	he **has** it	we/you/they **have** it
NÉGATION		
I **don't have** it	he **doesn't have** it	we/you/they **don't have** it
INTERROGATION		
do I **have** it?	**does** he **have** it?	**do** we/you/they **have** it?

Formes contractées fréquentes : *do not have* → *don't have* ; *does not have* → *doesn't have*.

Prétérit

AFFIRMATION
I... **had** it
NÉGATION
I... **didn't have** it
INTERROGATION
did I... **have** it?

Forme contractée fréquente : *did not have* → *didn't have*.

HAVE LEXICAL : EMPLOIS

▬ *Have* = « avoir, posséder »

- Do you have a girlfriend?
  Tu as une petite amie?

- She didn't have a driving licence.
  Elle n'avait pas le permis de conduire.

▬ *Have* = « consommer, prendre »

- Did you have lunch with your new colleagues?
  Tu as déjeuné avec tes nouveaux collègues?

- I didn't have a bath. I had a shower.
  Je n'ai pas pris de bain. J'ai pris une douche.

▬ Expressions avec *have* (consommer, prendre)

have a beer, a cup of tea : prendre une bière, un thé	have a good journey/trip : faire un bon voyage
have breakfast, lunch, dinner : prendre le petit déjeuner, déjeuner, dîner	have a look : jeter un coup d'œil
	have a good time : se payer du bon temps
have a dream : faire un rêve	have a walk : se promener
have a holiday : prendre des vacances	

HAVE GOT

Have got signifie « avoir, posséder » et peut remplacer *have*
mais uniquement au présent. Dans *have got*, *have* est
un auxiliaire et se conjugue **sans *do***.

AFFIRMATION	
I/we/you/they**'ve** (have) **got** it	he**'s** (has) **got** it
NÉGATION	
I/we/you/they **haven't got** it	he **hasn't got** it
INTERROGATION	
have I/we/you/they **got** it?	**has** he **got** it?

- I don't have (= I haven't got) much money.
  Je n'ai pas beaucoup d'argent.

- Does she have (= Has she got) your phone number?
  Est-ce qu'elle a ton numéro de téléphone?

DO AUXILIAIRE

▬ **Do** auxiliaire sert à construire les formes négatives et interrogatives du présent et du prétérit simples (voir p. 14 et 18).

- Liz doesn't understand.
  Liz ne comprend pas.
- Does Liz understand?
  Est-ce que Liz comprend?
- I didn't understand.
  Je n'ai pas compris.
- Did you like that film?
  Tu as aimé ce film?

▬ **Do** auxiliaire permet aussi d'insister sur ce qu'on dit (*do* emphatique). Dans ce cas il est accentué.

- I do like that car, but it's too expensive.
  J'aime beaucoup cette voiture, mais elle est trop chère.
- "You should have called." "I did call."
  « Tu aurais dû téléphoner. – Mais j'ai bien téléphoné. »

NOTEZ BIEN

Do ne s'emploie **pas** avec les auxiliaires *be* et *have* ni avec les modaux. Pour insister avec *be* et *have* et avec les modaux, on les <u>souligne</u> à l'écrit et on les **accentue** à l'oral.

"I thought you were single." "I am single."
« Je croyais que tu étais célibataire. – Mais je suis bien célibataire. »

I can't dive but I can swim.
Je ne sais pas plonger mais je sais nager.

▬ **Do** auxiliaire peut aussi servir à reprendre un verbe ou un groupe verbal.

- You always say you'll stop smoking but you never **do**.
  Tu dis toujours que tu vas arrêter de fumer mais tu ne le fais jamais.

On peut aussi utiliser *do it* ou *do that* pour reprendre un verbe qui décrit une action volontaire.

- I'd love to travel to space. I'll **do that** some day.
  J'adorerais voyager dans l'espace. Je le ferai un jour.

> **NOTEZ BIEN**
> Avec les auxiliaires *be* et *have* et avec les modaux, la reprise se fait sans *do*.
>
> She's better at maths than I am.
> Elle est meilleure en maths que moi.
>
> You can't speak Chinese. I can.
> Tu ne parles pas chinois. Moi, oui.

DO LEXICAL

Do lexical désigne l'action de « faire » en général. Avec *make*, on pense plutôt à un produit ou un résultat. Comparez :

- I'm bored. I don't know what to **do**.
  Je m'ennuie. Je ne sais pas quoi faire.

- What do you **do** (for a living)?
  Qu'est-ce que tu fais dans la vie ?

- If you make a cake, I'll **make** some tea.
  Si tu fais un gâteau, je ferai du thé.

- You've **made** a mistake.
  Tu as fait une faute.

Lorsque *do* signifie « faire », il se conjugue avec l'auxiliaire *do*.

- I **don't do** the cooking every night.
  Je ne fais pas la cuisine tous les soirs.

- **Do** you **do** a lot of sport?
  Tu fais beaucoup de sport ?

▸ FAIRE P. 129

4 Le présent

CONJUGAISON DU PRÉSENT SIMPLE

AFFIRMATION	
I/we/you/they **work**	he **works**
NÉGATION	
I/we/you/they **don't work**	he **doesn't work**
INTERROGATION	
do I/we/you/they **work**?	**does** he **work**?

Formes contractées fréquentes : *do not* → ***don't*** ;
does not → ***doesn't***.

NOTEZ BIEN
Il faut penser à bien mettre un ***-s* à la 3ᵉ personne
du singulier** : *it works*.

- Aux formes négative et interrogative, il faut employer *do*
ou *does* sauf avec *be* et les modaux.

- Prononciation du *-s* de la 3ᵉ personne

/s/ après /f/, /k/, /p/, /t/ : *thinks* /θɪŋks/, *cuts* /kʌts/

/ɪz/ après /s/, /ʃ/, /z/, /dʒ/ : *kisses* /ˈkɪsɪz/, *catches* /ˈkætʃɪz/

/z/ dans tous les autres cas et en particulier après une voyelle :
says /sez/, *cares* /keəz/

EMPLOIS DU PRÉSENT SIMPLE

- Le présent simple exprime une **vérité générale,** des **habitudes.**

  - Women live longer than men. [vérité générale]
    Les femmes vivent plus longtemps que les hommes.

  - I always travel by train and I often sleep during
    the journey. [habitude]
    Je voyage toujours en train et je dors souvent pendant
    le voyage.

Il exprime un **fait** (plus ou moins) **permanent**.

- We work in New York City but live in New Jersey.
  [fait plus ou moins permanent]
  Nous travaillons à New York mais nous vivons dans le New Jersey.

- The Thames flows through London. [fait permanent]
  La Tamise coule à Londres.

Il s'emploie avec des **verbes d'opinion ou de sentiment,** car ces verbes expriment un résultat et se trouvent donc rarement à la forme en *be + -ing*.

agree : être d'accord	matter : avoir de l'importance
believe : croire	mean : vouloir dire
belong : appartenir	need : avoir besoin
consist : consister en	own, possess : posséder
depend : dépendre de	prefer : préférer
deserve : mériter	remember : se souvenir
doubt : douter	seem : sembler
hate : détester	suppose : supposer
include : inclure	understand : comprendre
know : savoir	want : vouloir
like, love : aimer	wish : souhaiter

- I think they understand.
  Je crois qu'ils comprennent.

Il s'emploie aussi dans les cas suivants : titres de journaux, scripts de film, indications scéniques, récits (surtout à l'oral), blagues...

- Prime Minister visits new station. [titre de journal]
  Le Premier ministre inaugure la nouvelle gare.

- A young man appears at the door. He knocks.
  Lou rises, pauses a moment. [indication scénique]
  Un jeune homme apparaît à la porte. Il frappe. Lou se lève, s'arrête un moment.

- Four expectant fathers are in a hospital waiting room. The nurse arrives and announces to the first man... [début d'une blague]
  Quatre futurs papas sont dans la salle d'attente d'un hôpital. L'infirmière arrive et annonce au premier...

CONJUGAISON DU PRÉSENT EN *BE + -ING*

AFFIRMATION

I am working	he is working	we/you/they are working

NÉGATION

I'm not working	he's not working	we/you/they 're not working

INTERROGATION

am I working?	is he working?	are we/you/they working?

Formes contractées fréquentes : *are not* → *aren't* ;
is not → *isn't.*

EMPLOIS DU PRÉSENT EN *BE + -ING*

- Le présent en *be + -ing* exprime une action ou un fait **en cours au moment où on parle** (sous-entendu : « en ce moment »).

  - Careful! You're going through a red light!
    Attention ! Tu brûles un feu rouge !

  - "What are you doing, Liz?" "I'm revising for exams."
    « Qu'est-ce que tu fais, Liz ? – Je révise mes examens. »

- Il s'emploie aussi pour quelque chose de vrai actuellement, mais pas forcément au moment précis où l'on parle.

  - I'm looking for a new job.
    Je cherche un nouvel emploi.

- Il s'emploie fréquemment pour renvoyer à l'avenir, pour parler de quelque chose qui est déjà prévu ou organisé.

  - I'm working tonight and tomorrow morning.
    Je travaille ce soir et demain matin.

  - When are your parents coming to dinner?
    Quand est-ce que tes parents viennent dîner ?

▸ PARLER DE L'AVENIR P. 27

Les deux formes ont parfois un sens un peu différent.

PRÉSENT SIMPLE	PRÉSENT EN *BE + -ING*
I live in London. I teach English. **J'habite à Londres. J'enseigne l'anglais.** [de manière plus ou moins permanente]	I'm living in London. I'm teaching English. **J'habite à Londres. J'enseigne l'anglais.** [« en ce moment », de manière temporaire]
They are silly. **Ils sont idiots.** [attribution d'une qualité, souvent durable, au sujet]	They are being silly. **Ils font les idiots.** [comportement temporaire]
We have a new car. **Nous avons une nouvelle voiture.** [*have* = possession]	We're having lunch. **Nous sommes en train de déjeuner.** [*have lunch* = eat]
I see what they mean. **Je vois ce qu'ils veulent dire.** [*see* = « comprendre »]	I'm seeing Pat tomorrow. **Je vois Pat demain.** [*see* = « avoir rendez-vous »]
It tastes nice. **Ça a bon goût.** [fait intrinsèque]	I'm tasting it to see if it's OK. **Je le goûte pour voir si c'est bon.** [action de goûter en cours]
I weigh 58 kilos. **Je pèse 58 kg.** [donnée chiffrée]	I'm weighing the baby. **Je pèse le bébé.** [action en cours]
I think you're wrong. **Je crois que tu as tort.** [activité mentale]	Don't disturb me; I'm thinking. **Ne me dérange pas, je suis en train de réfléchir.** [action de réfléchir]

Avec quelques verbes, il y a peu de différence.

- How do you feel today?
  ou How are you feeling today?
  Comment te sens-tu aujourd'hui ?

Le présent peut renvoyer à l'avenir.

PRÉSENT SIMPLE	PRÉSENT EN *BE + -ING*
The train leaves at 10:35. **Le train part à 10h35.** [programme **objectif**]	We're going to Japan in June. **Nous allons au Japon en juin.** [programme **personnel**]

▸ PARLER DE L'AVENIR P. 27

(6) Le prétérit

CONJUGAISON DU PRÉTÉRIT SIMPLE

Pour former le prétérit, on ajoute **-ed** aux verbes réguliers.

AFFIRMATION
I /he/we/you/they work**ed**
NÉGATION
I /he/we/you/they **did not** work
INTERROGATION
did I/he/we/you/they work?

Forme contractée fréquente : *did not* → *didn't*.

-ed se prononce /ɪd/ après /t/ et /d/ : *waited, succeeded.*

Certains verbes ont un **prétérit irrégulier** (voir p. 248).
Il n'existe qu'à l'affirmation : *I wrote/Did I write?/I didn't write.*

EMPLOIS DU PRÉTÉRIT SIMPLE

Le prétérit simple est la forme la plus employée pour parler d'un passé révolu. Il exprime une **rupture** par rapport au présent.

- Mozart died young.
  Mozart est mort jeune.

- My grandmother worked on a farm.
  Ma grand-mère travaillait dans une ferme.

Il exprime aussi des **habitudes passées** ou un état passé.

- We always went to the sea when I was young.
  I swam every day.
  Nous allions toujours à la mer quand j'étais jeune. Je nageais tous les jours.

CONJUGAISON DU PRÉTÉRIT EN *BE* + *-ING*

AFFIRMATION	
I/he **was** work**ing**	we/you/they **were** work**ing**
NÉGATION	
I/he **wasn't** working	we/you/they **weren't** working
INTERROGATION	
was I/he working?	**were** we/you/they working?

Formes contractées fréquentes : *was not* → *wasn't* ;
were not → *weren't*.

EMPLOIS DU PRÉTÉRIT EN *BE* + *-ING*

➡ Le prétérit en *be* + *-ing* décrit une action ou un fait **en cours
à un moment du passé** (sous-entendu : « à ce moment-là »).
Il se traduit presque toujours par un imparfait.

- "What were you doing last night at 8?" "I was
  cooking for my wife."
  « Que faisiez-vous hier soir à 8 heures ? – Je faisais la cuisine
  pour ma femme. »

➡ **Quand on a deux prétérits dans une même phrase,** souvent
l'action la plus longue est décrite par le prétérit en *be* + *-ing*,
la plus courte par le prétérit simple.

- I **was writing** an email when the computer **crashed**.
  J'étais en train d'écrire un e-mail quand l'ordinateur a planté.

- It **was raining** heavily when I **arrived**.
  Il pleuvait à verse quand je suis arrivé.

➡ **Comparaison entre les deux prétérits :**
action terminée ≠ action en cours

- They **crossed** the street fast.
  Ils ont traversé la rue rapidement.
  [action terminée : ils ont traversé la rue]

- They **were crossing** the street when the police saw
  them.
  Ils étaient en train de traverser la rue quand la police les a vus.
  [action en cours à un moment du passé : ils ont pu rebrousser chemin]

CONJUGAISON DU PRESENT PERFECT SIMPLE

Pour former le present perfect, on emploie *have* au présent suivi du participe passé. Pour former le participe passé, on ajoute *-ed* aux verbes réguliers.

AFFIRMATION	
I/we/you/they **have** work**ed**	he **has** work**ed**
NÉGATION	
I/we/you/they **haven't** worked	he **hasn't** worked
INTERROGATION	
have I/we/you/they work**ed**?	**has** he work**ed**?

Formes contractées fréquentes :
have not → haven't ou *'ve not*; *has not → hasn't* ou *'s not*.

Certains verbes ont un **participe passé irrégulier** (voir p. 248) :
*you have **seen** it/have you **seen** it?/you haven't **seen** it.*

EMPLOIS DU PRESENT PERFECT SIMPLE

Très souvent, le present perfect simple exprime le **résultat présent** d'une action passée. On peut le paraphraser par un **présent**.

- Rick can't come with us because he's broken his leg.
  Rick ne peut pas venir avec nous car il s'est cassé la jambe.
  [Sa jambe est cassée.]

Dans les bulletins d'information, on l'emploie pour rapporter des faits récents.

- A plane has crashed in the Amazonian jungle.
  Un avion s'est écrasé dans la jungle amazonienne.

On le trouve souvent avec *already* (déjà), *not yet* (pas encore), *ever* (jamais) et *never* (ne jamais), car ces adverbes sont associés au moment présent.

- I've already told Lawrence about the job.
  J'ai déjà parlé de cet emploi à Lawrence.

Employé avec **just**, il correspond à «venir de».

- I've just talked to your mother.
  Je viens de parler à ta mère.

  ▸ **VENIR DE P. 160**

PRESENT PERFECT OU PRÉTÉRIT ?

Il existe deux façons de parler du passé, soit avec le present perfect, soit avec le prétérit. Ces deux formes expriment deux points de vue bien différents. Le prétérit implique un passé coupé du présent : «à ce moment-là». Le present perfect implique un lien avec le présent, par exemple un résultat présent ou un fait récent. Comparez :

- I haven't seen your husband this morning.
  [Il est 10 heures ; je peux encore le voir.]
  I didn't see your husband this morning.
  [Il est 15 heures ; la matinée est terminée.]
  Je n'ai pas vu ton mari ce matin.

Le prétérit est donc obligatoire avec les marqueurs d'un passé révolu.

- I saw him **yesterday**.
  Je l'ai vu hier.

- He resigned **three years ago**.
  Il a démissionné il y a trois ans.

- She laughed **when** he told her the truth.
  Elle a ri quand il lui a dit la vérité.

  ▸ **IL Y A P. 133**

PRESENT PERFECT EN *BE + -ING*

AFFIRMATION	
I/we/you/they **have been** working	he **has been** working
NÉGATION	
I/we/you/they **haven't been** lying	he **hasn't been** lying
INTERROGATION	
have I/we/you/they **been** dreaming?	**has** he **been** dreaming?

Le present perfect en *be + -ing* signale qu'on voit encore des **traces** d'une activité passée.

- It's been (It has been) raining.
  Il a plu. [traces présentes : la chaussée mouillée]

On l'utilise aussi pour dire qu'une activité **vient de** se terminer.

- "You've been watching the nine o'clock news."
  « Vous venez de voir le journal de 21 heures. »

FOR, SINCE ET HOW LONG

Combinés avec le present perfect, *for* et *since* traduisent tous deux « **depuis** ».

For + durée souvent chiffrée : *for (ten) years, for (six) months*
Since + point de départ : *since 20 June, since the war*

▶ DEPUIS P. 116

- It's 5 o'clock. I've been waiting here **since** 4:30/**for** thirty minutes.
  Il est 5 heures. J'attends depuis 4 h 30/depuis trente minutes.

Avec *for* et *since*, on préfère nettement employer le **present perfect en *be* + -*ing***.

- Sales have been increasing for some time.
  Ça fait un certain temps que les ventes augmentent.

Cependant si un verbe n'est pas compatible avec *be* + -*ing* (voir p. 15), on utilise le present perfect simple.

- I've known her for ten months.
  Je la connais depuis dix mois. [*I've been knowing...*]

« Depuis combien de temps + présent » se traduit par *how long* + present perfect. À l'oral, on dit aussi *Since when?*

- How long have you been working here?
  Depuis combien de temps est-ce que tu travailles ici?
  Ça fait combien de temps que tu travailles ici?

▶ DEPUIS COMBIEN DE TEMPS? P. 117

NOTEZ BIEN
Le present perfect + *for* ou *since* se traduit par un **présent**.
Le prétérit + *for* ou *since* se traduit par un **passé composé**.

I've been working in London for twenty years.
Je travaille à Londres depuis vingt ans. [C'est encore vrai.]

I worked in London for twenty years.
J'ai travaillé à Londres pendant vingt ans. [C'est une période terminée.]

▶ PRÉTÉRIT P. 18

(8) Le past perfect

LE PAST PERFECT SIMPLE

Pour former le past perfect simple, on emploie *have* au prétérit
suivi du participe passé (voir p. 247).

AFFIRMATION
I**'d told** him
NÉGATION
they **hadn't read** it
INTERROGATION
had you **seen** him?

Formes contractées fréquentes : *had not* → *hadn't*;
après un pronom personnel, *had* → *'d* : *I'd; you'd; he'd;
she'd; we'd; they'd.*

Le **past perfect simple** permet de renvoyer à une action
ou un fait antérieur à un moment du passé, comme
le plus-que-parfait français. Il exprime souvent un **résultat
dans le passé**.

- I didn't want to read *Gone with the Wind* [moment du passé]
  because I had already seen the film [action antérieure à ce
  moment du passé].
  Je ne voulais pas lire *Autant en emporte le vent,* car j'avais déjà
  vu le film.

LE PAST PERFECT EN *BE + -ING*

AFFIRMATION
it **had been** raining
NÉGATION
it **hadn't been** raining
INTERROGATION
had it **been** raining?

Avec le **past perfect en *be + -ing***, on s'intéresse à une activité **en cours** à un moment du passé. Cette activité est antérieure à un autre moment du passé.

- When I entered the room [moment du passé]
  I noticed that the kids had been bickering.
  [activité en cours avant *I entered the room*]
  Quand je suis entré dans la pièce, j'ai remarqué que les enfants s'étaient chamaillés.

■ LA TRADUCTION DU PAST PERFECT

La plupart du temps, le past perfect se traduit par le **plus-que-parfait**. Toutefois, dans les cas suivants, il se traduit par un **imparfait** :

Avec *for*, *since* et *how long* (voir p. 22)

- It happened on Christmas day. We **had lived** together **since** July/**for** six months.
  Ça s'est passé le jour de Noël. Nous vivions ensemble depuis juillet/depuis six mois.

- How long had you been waiting?
  Depuis combien de temps attendiez-vous ?

Avec *just* (venais, venait... de)

- I **had just mentioned** his name when he called!
  Je **venais** (juste) **de** citer son nom quand il a appelé !

▸ VENIR DE P. 160

FORMATION DU PASSIF

Le passif se forme avec *be* conjugué + participe passé.

- English **is spoken** by about a billion people.
  [présent simple]
  L'anglais est parlé par environ un milliard de personnes.

- They **were questioned** by the police.
  [prétérit simple]
  Ils ont été interrogés par la police.

- The match **has been viewed** by millions of viewers.
  [present perfect simple]
  Le match a été vu par des millions de téléspectateurs.

Le passif se rencontre aussi avec *be* + *-ing* ou après un modal.

- I was being followed.
  On me suivait.

- You may have been deceived.
  Il est possible qu'on t'ait trompé.
  (On a pu te tromper.)

EMPLOIS DU PASSIF

Le passif s'emploie plus en anglais qu'en français. Le passif anglais se traduit souvent soit par un passif, soit par « on ».

- They were questioned by the police.
  Ils ont été interrogés par la police.

- Your application will be sent tomorrow.
  On enverra votre demande demain.

Le plus souvent, le complément d'agent est **omis**. En effet, dans une phrase passive on ne s'intéresse pas à l'agent, soit parce qu'il est évident, soit parce qu'il n'est pas connu.

- She was re-elected in November.
  Elle a été réélue en novembre. [agent évident : les électeurs]

- My motor scooter has been stolen.
  On m'a volé mon scooter. [agent inconnu]

➤ Les verbes *believe, say, know*... peuvent être mis au passif.

- It is believed/said/known that the minister will resign.
  On pense/On dit/On sait que le ministre va démissionner.

➤ Le passif se forme parfois avec *get* + participe passé, en particulier lorsque l'action est inattendue ou désagréable.

- My neighbour got killed in an accident.
  Mon voisin a été tué dans un accident.

- They got arrested for drunkenness.
  Ils ont été arrêtés pour ivresse.

NOTEZ BIEN

Certaines expressions en *get* + participe passé se traduisent souvent par « se + verbe ».

get dressed : s'habiller

get drowned : se noyer

get lost : se perdre

get married : se marier

get washed : se laver

10 Parler de l'avenir

WILL

Pour renvoyer à l'avenir, on emploie très souvent *will* + base verbale à toutes les personnes.

AFFIRMATION
I/he/we/you/they **will ('ll) regret** it.

NÉGATION
I/he/we/you/they **will not regret** it.

INTERROGATION
will I/he/we/you/they **regret** it⸮

Formes contractées fréquentes : *will not → won't* ;
après un pronom personnel, *will → 'll* : *I'll ; you'll ; he'll ; she'll ; we'll ; they'll*.

On emploie *will* quand on est sûr que quelque chose se produira.

- They will regret it some day.
  Ils le regretteront un jour.

On l'emploie aussi pour une décision prise sur le champ ou une réaction spontanée (« aller + verbe » en français).

- "It's the phone again." "I'll get it."
  « C'est encore le téléphone. – Je vais répondre. »
  [La décision de répondre est prise au moment où je parle.]

- Oh, it's time to go! I'll just put on my shoes.
  Oh, il est temps de partir. Je mets juste mes chaussures.

BE GOING TO

Be going to correspond souvent à « aller + infinitif ».

AFFIRMATION
I am/you are/he is going to regret it

NÉGATION
I am not/you are not/he is not going to regret it

INTERROGATION
am I/are you/is he going to regret it⸮

On l'emploie quand on prédit quelque chose à partir de **d'indices visibles.**

- Paul looks so pale. He's going to faint.
  Paul est si pâle. Il va s'évanouir.
  [indice visible : la pâleur]

- Look at the satellite pictures. The heat wave is going to last.
  Regarde les images satellite. La vague de chaleur va durer.
  [indice visible : les images satellite]

On utilise aussi *be going to* pour formuler **une décision déjà prise.**

- I've already decided. I'm going to buy a new house.
  J'ai déjà pris ma décision. Je vais acheter une nouvelle maison.

PRÉSENT SIMPLE OU EN *BE* + -*ING*

Le présent simple s'emploie pour un programme **objectif :** des horaires ou des emplois du temps officiels.

- Our train leaves at 10:15.
  Notre train part à 10h15.

- The gym class starts at 4.
  Le cours de gym commence à 16 heures.

Le présent en *be* + -*ing* s'utilise pour quelque chose qu'on a déjà organisé **personnellement.**

- I'm seeing Pat at the pub tonight.
  Je vois Pat ce soir au pub.   ▸ PRÉSENT SIMPLE OU EN *BE* + -*ING* P. 17

BE CONJUGUÉ + *TO*

Be conjugué + *to* s'emploie dans un style formel pour parler d'un **projet officiel.**

- The minister is to visit his counterpart in Washington.
  Le ministre doit rencontrer son homologue à Washington.

- The talks are to start soon.
  Les négociations doivent commencer prochainement.

WOULD

➤ Très souvent, **would** + verbe traduit le **conditionnel** français.

> I/you/he/we/you/they **would** (ou **'d**) be
> je serais/tu serais/il serait/nous serions/vous seriez/ils seraient

➤ Il s'emploie avec les propositions en *if* + prétérit.

- We **would live** in London **if** we **had** the choice.
  Nous habiterions à Londres si nous avions le choix.

➤ On utilise *would* pour demander ou proposer quelque chose.

- I'd like some advice.
  Je voudrais des conseils.
- Would you like some tea?
  Voudriez-vous du thé?

➤ On l'emploie au discours indirect après un verbe introducteur au prétérit (voir p. 98).

- Tom said that he would arrive late.
  Tom a dit qu'il arriverait tard.

➤ Le conditionnel passé se traduit à l'aide de *would have* + participe passé.

> I **would have** sung : j'aurais chanté
> you **would have** wanted : tu aurais voulu
> they **would have** thought : elles auraient pensé

AUTRES ÉQUIVALENTS DU CONDITIONNEL

➤ «Devoir» au conditionnel se traduit souvent par *should* pour exprimer un conseil (voir p. 38).

- You should walk more often.
  Tu devrais marcher plus souvent.

➤ «Pouvoir» au conditionnel se traduit souvent par *could* ou *might* pour exprimer une possibilité (voir p. 33 et 35).

- I could meet you on Monday morning.
  Je pourrais vous rencontrer lundi matin.

Les principaux modaux sont *can, may, must, shall* et *will*.
Avec un modal, celui qui parle ne décrit pas des faits.
Ce qui l'intéresse, c'est le possible, le devoir, la volonté
ou l'habitude.

FORMES DES MODAUX

AFFIRMATION
I/he/she/it/we/you/they **can**

NÉGATION
I/he/she/it/we/you/they **must not**

INTERROGATION
may I/he/she/it/we/you/they?

Formes contractées très fréquentes : *cannot* → ***can't***;
could not → ***couldn't***; *must not* → ***mustn't*** /mʌsnt/ ;
will not → ***won't*** /wəʊnt/ ; *shall not* → ***shan't*** /ʃɑːnt/ ;
should not → ***shouldn't***; *would not* → ***wouldn't***

NOTEZ BIEN
Can + not s'écrit le plus souvent en un seul mot : ***cannot***.

➡ Prononciation : *can* /kæn/, forme faible /kən/ ; *may* /meɪ/ ;
must /mʌst/, forme faible /məst/ ;
shall /ʃæl/, forme faible /ʃəl/ ; *will* /wɪl/

➡ Quatre modaux ont une forme de **prétérit**. Ce prétérit se traduit
soit par un temps du passé, soit par un conditionnel (voir
p. 29).

PRÉSENT	can	may	shall	will
PRÉTÉRIT	could	might	should	would

NOTEZ BIEN
Un modal n'est jamais précédé de *to*.
On ne peut pas ajouter *-ing* à un modal.
On ne rencontre jamais « modal + modal ».
Un modal n'a pas de participe passé.

VALEURS DES MODAUX

CAN	
capacité	I can carry my suitcase. Je peux porter ma valise.
permission	"Mum, can I go out now?" "Yes, you can." « Maman, je peux sortir maintenant? – Oui. »

CAN'T	
incapacité	I'm afraid I can't help you. Je suis désolé, mais je ne peux pas vous aider.
interdiction	You can't smoke here. Tu ne peux pas fumer ici.
impossibilité	It can't be true. Ça ne peut pas être vrai.

COULD/COULDN'T	
capacité dans le passé	I couldn't start my car this morning. Je n'ai pas pu faire démarrer ma voiture ce matin.
capacité hypothétique	I could go out with you but I feel so tired. Je pourrais sortir avec vous, mais je me sens si fatigué.
possibilité	Sam could be having lunch. Sam est peut-être en train de déjeuner.

MAY	
possibilité théorique	You may be right. Tu as peut-être raison.
permission	You may borrow up to 4 DVDs. Vous pouvez emprunter jusqu'à quatre DVD.

MIGHT	
possibilité théorique	Hannah might be in her office. Il se pourrait que Hannah soit dans son bureau.

MUST	
obligation	You must tell me the truth. Tu dois me dire la vérité.
probabilité	You must be tired after such a hard day. Tu dois être fatiguée après une journée si dure.

MUSTN'T	
interdiction	You mustn't lie. Tu ne dois pas mentir.

SHALL	
suggestion	Shall I shut the window?
	Veux-tu que je ferme la fenêtre?

SHOULD	
conseil/ suggestion	You should go out more often.
	Tu devrais sortir plus souvent.
probabilité	Ask Jane. She should know.
	Demande à Jane. Elle devrait savoir.

WILL	
volonté	Will you marry me?
	Veux-tu m'épouser?
renvoi à l'avenir	They will regret it some day.
	Ils le regretteront un jour.

WOULD	
habitude passée	"Trust me", my father would say.
	«Fais-moi confiance», disait mon père.
emploi conditionnel	How would you describe her?
	Comment la décririez-vous?

CAN / CAN'T

Can exprime deux types de possibilités : « être capable de »
et « avoir la permission de ».

➠ « Être capable de » (« pouvoir » ou « savoir »)

- I can carry my suitcase.
  Je peux porter ma valise.

- Can you pilot a plane?
  Tu sais piloter un avion?

NOTEZ BIEN
On emploie souvent *can* devant les verbes de perception.
Dans ce cas, la plupart du temps, on ne le traduit pas.
Where are you? I can hear you but I can't see you!
Où es-tu? Je t'entends mais je ne te vois pas.

➠ « Avoir/Ne pas avoir la permission de »

- "Mum, can I go out now?" "Yes, you can."
  « Maman, je peux sortir maintenant? – Oui. »

- You can't smoke here.
  Tu ne peux pas fumer ici.

NOTEZ BIEN
Can't peut aussi exprimer une impossibilité logique.
Il est dans ce cas le contraire de *must* (voir p. 36).
She can't be in London. She flew to Sydney yesterday.
Elle ne peut pas être à Londres. Elle a pris l'avion pour Sydney hier.

COULD

Could, comme *can*, exprime plusieurs types de possibilité,
mais au **passé** ou au **conditionnel**.

➠ Il exprime soit une capacité **dans le passé**,
soit une capacité **hypothétique**.

- I couldn't start my car this morning.
  Je n'ai pas pu faire démarrer ma voiture ce matin. [passé composé]

- I could go out with you but I feel so tired.
  Je **pourrais** sortir avec vous, mais je me sens si fatigué.
  [conditionnel]

Il s'emploie dans les requêtes pour demander ou donner une permission.

- "Could I have some more tea?" "Yes, of course, you can."
  « Est-ce que je pourrais avoir un peu plus de thé ? – Oui, bien sûr. »

Il peut signifier que quelque chose **pourrait** ou **aurait pu être vrai**.

- Don't go away. They could arrive anytime now.
  Ne t'éloigne pas. Ils pourraient arriver à tout moment maintenant.

- You could have hurt yourself.
  [*have* + participe passé : concerne un moment passé]
  Tu aurais pu te blesser.

CAN ET *BE ABLE TO*

On emploie *be able to* (être capable de) **là où** *can* **est impossible.**

- I'd like to be able to sing.
  J'aimerais pouvoir chanter. [*to* + *can* impossible → *to be able to*]

- I've never been able to lie.
  Je n'ai jamais pu mentir. [*can* n'a pas de participe passé → *been able to*]

- Sorry for not being able to help you.
  Désolé de ne pas pouvoir t'aider. [*can* + *-ing* impossible → *being able to*]

- Some day I'll be able to forgive you.
  Un jour je pourrai te pardonner. [*will* + *can* impossible → *will be able to*]

NOTEZ BIEN

je pourrai… (je serai capable de) : I will be able to…

je pourrais… (je serais capable de) : I could (I would be able to)…

j'aurais pu… (j'aurais été capable de) : I could have…

▸ POUVOIR P. 146

⑭ May/might

MAY

Avec **may**, on dit que quelque chose est logiquement possible.
L'équivalent est « peut-être » ou « il se peut que ».

- You may be right.
  Tu as peut-être raison.

- Hannah may be in her office.
  Il se peut que Hannah soit dans son bureau.

- They may have won.
  [*have* + participe passé : concerne un moment passé]
  Ils ont peut-être gagné.

On emploie aussi **may** pour demander ou accorder
une permission, mais **can** est plus courant.

- You **may borrow** up to four DVDs.
  (You can borrow…)
  Vous pouvez emprunter jusqu'à quatre DVD.

Pour une permission passée, on emploie **was/were allowed to**.

- I **was allowed** to watch TV until midnight
  yesterday!
  J'ai pu regarder la télé jusqu'à minuit hier !

NOTEZ BIEN

je pourrai… (j'aurai la permission de) : I will be allowed to…
je pourrais… (j'aurais la permission de) : I would be allowed to…
j'aurais pu… (j'aurais eu la permission de) : I would have been allowed to…

MIGHT

Might signale que quelque chose **pourrait être vrai**.
Il est très proche de *could* (voir p. 34).

- Hannah might be in her office.
  Il se pourrait que Hannah soit dans son bureau.

- I'm glad you didn't go. You might have been sick
  on the boat.
  Je suis content que tu n'y sois pas allé. Tu aurais pu être malade
  dans le bateau.

MUST

Must est lié à l'idée de nécessité. Il exprime deux types de « devoir » : « c'est obligé » ou « c'est probable ».

➤ *Must* exprime l'obligation et *mustn't* l'interdiction.

- You must tell me the truth.
  Tu dois me dire la vérité.

- You mustn't lie.
  Tu ne dois pas mentir.

NOTEZ BIEN
Mustn't se prononce /mʌsnt/. *Must* se prononce souvent dans sa forme faible : /məst/ ou /məs/.

➤ *Must* exprime une forte probabilité.

- You must be tired after such a hard day.
  Tu dois être fatiguée après une si dure journée.

- They must have missed their train.
  [*have* + participe passé : concerne un moment passé]
  Ils ont dû rater leur train.

NOTEZ BIEN
Ne confondez pas !

Ils **ont dû** partir car il y avait trop de bruit. [obligation]
They **had to** leave because there was too much noise.

Ils **ont dû** partir : je ne vois plus leur voiture. [forte probabilité]
They **must have** left: I can't see their car any more.

➤ Le contraire du *must* de probabilité est *can't* (« ça ne peut pas être vrai », voir p. 33).

- Come on, you **can't** be tired. You haven't done anything all day.
  Allons, tu ne peux pas être fatigué. Tu n'as rien fait de toute la journée.

- They can't have seen me. They would have said hello.
  Ils n'ont pas dû me voir. Ils m'auraient dit bonjour.
  [*can't have* + participe passé : concerne un moment passé]

HAVE TO

AFFIRMATION	
I/we/you/they **have to** go	he **has to** go
NÉGATION	
I/we/you/they **do not have to** go	he **does not have to** go
INTERROGATION	
do I/we/you/they **have to** go?	**does** he **have to** go?

▬ Au présent, on rencontre soit *must*, soit *have to*. Avec **have to** (ou **have got to**), l'obligation provient de règles ou d'une autre personne. Comparez :

- I must stop drinking coffee.
  Je dois arrêter de boire du café.
  [Je m'impose d'arrêter.]

- I have (got) to stop drinking coffee.
  Il faut que j'arrête de boire du café.
  [C'est le médecin qui me l'ordonne.]

▬ **Must** n'existe qu'au présent. On emploie **have to** dans tous les autres cas.

- I had to quit my job.
  J'ai dû quitter mon emploi.
  [pour parler du passé → *had to*]

- We'll have to rent a smaller house.
  Nous devrons louer une maison plus petite.
  [pour parler du futur → *will have to*]

- You would have to get a job if I left mine.
  Tu devrais trouver un emploi si je quittais le mien.
  [comme équivalent du conditionnel → *would have to*]

- It's difficult to have to tell the truth all the time.
  Il est difficile de devoir dire la vérité tout le temps.
  [à l'infinitif → *to have to*]

NOTEZ BIEN
En anglais américain, on emploie de moins en moins *must*, au profit de *have to*.

SHALL

Shall I...? ou **Shall we...?** s'emploient pour faire une suggestion.

- Shall I shut the window?
  Veux-tu que je ferme la fenêtre?

- Shall we ask them to leave?
  Et si on leur demandait de partir?

SHOULD

Should se traduit le plus souvent par « devoir » au conditionnel.

➡ On l'emploie pour un conseil ou une suggestion.

- You should go out more often.
  Tu devrais sortir plus souvent.

- You should have called me.
  [*have* + participe passé : concerne un moment passé]
  Tu aurais dû me téléphoner.

➡ Il peut aussi exprimer une probabilité qui concerne le présent.

- Ask Jane. She should know.
  Demande à Jane. Elle devrait savoir.
  [Il est probable qu'elle sait.]

- It's five o'clock, they should have arrived by now.
  Il est cinq heures, ils devraient être arrivés maintenant.

NOTEZ BIEN
Ought to s'emploie comme **should** mais *should* est beaucoup plus courant.
You ought to go out more often.

WILL

➡ On emploie souvent *will* pour parler de l'avenir (voir p. 27), mais il a d'autres valeurs.

À la forme négative, **won't** est plus courant que **will not**.

Il est parfois proche de «**vouloir**», surtout dans des questions/réponses et après *if*.

- "Will you marry me?" "Yes, I will."
  «Veux-tu m'épouser? – Oui, je le veux.»

- If you will follow me…
  Si vous voulez bien me suivre…

Will not/won't peut signifier un **refus**.

- My dad won't talk to me.
  Mon père ne veut pas me parler.

Will peut exprimer une caractéristique, une habitude. Dans ce cas, il peut se traduire par «pouvoir».

- This machine will wash 4 kilos.
  [caractéristique de la machine]
  Cette machine peut laver 4 kilos de linge.

- Sean will watch TV alone for hours.
  [habitude de Sean]
  Sean peut rester tout seul devant la télé pendant des heures.

WOULD

Would s'emploie souvent comme équivalent du conditionnel français (voir p. 29), mais il a d'autres valeurs.

Il s'emploie dans les requêtes.

- Would you please sit down!
  Voulez-vous bien vous asseoir, s'il vous plaît!

On peut utiliser *would not* pour parler d'un refus dans le passé.

- Ava wouldn't open the door.
  Ava ne voulait pas/refusait d'ouvrir la porte.

On utilise *would* pour parler d'une habitude passée.

- When I lived with my parents, I would always feed the dog before dinner.
  Quand j'habitais chez mes parents, je donnais toujours à manger au chien avant le dîner.

▸ *USED TO* P. 40

(17) *Used to / had better / would rather*

USED TO

➤ ***Used to*** /ˈjuːstə/ est comparable à *would* (voir p. 39).

- When I was a child I used to *ou* I would walk to school every day.
  Quand j'étais enfant, j'allais à l'école à pied tous les jours.

➤ ***Used to*** insiste sur le fait que les choses ont changé.
On le traduit souvent par « autrefois / avant + imparfait ».

- We used to see them every week.
  Avant, on les voyait toutes les semaines.

- I didn't use to like sport.
  Autrefois, je n'aimais pas le sport.

HAD BETTER

***I'd better** (I had better)* + verbe équivaut à « **je ferais bien de,** il vaudrait mieux que je… » Bien que *had* soit un prétérit, on emploie *had better* pour donner un conseil **présent ou futur**.

- You'd better (not) tell Mum.
  Tu ferais bien de (ne pas) le dire à maman.

WOULD RATHER

***I'd rather** (I would rather)* + verbe équivaut à « **je préférerais,** j'aimerais mieux ».

- I'd rather be on a beach than in my kitchen.
  Je préférerais être sur une plage (plutôt) que dans ma cuisine.

- Would you rather eat here or outside ?
  Vous aimeriez mieux manger ici ou dehors ?

- They'd rather not go now.
  Ils préféreraient ne pas partir maintenant.

NOTEZ BIEN
« Préférer » se traduit aussi par *prefer to*.
I'd rather_**leave** now *ou* I'd prefer **to leave** now.
Je préférerais partir maintenant.

CONJUGAISON DE L'IMPÉRATIF

À la deuxième personne (Mange!, Mangez!), on utilise simplement le verbe, sans *to*.

AFFIRMATION	NÉGATION
Open the letter. Ouvre/Ouvrez cette lettre.	Don't read the letter. Ne lis pas/Ne lisez pas cette lettre.
Be happy. Sois/Soyez heureux.	Don't be shy. Ne sois pas/Ne soyez pas timide.

Pour renforcer la valeur de l'impératif, on peut le faire précéder de *do*. Comparez :

- Tell him I miss him.
  Dis-lui qu'il me manque.
- **Do** tell him I miss him.
  Dis-lui **bien** qu'il me manque.

À la première personne du pluriel (Mangeons!), on emploie *Let's* devant le verbe.

AFFIRMATION	NÉGATION
Let's go straight away. Partons immédiatement.	**Let's not talk** about it. N'en parlons pas.

VALEURS DE L'IMPÉRATIF

L'impératif, en anglais comme en français, peut exprimer un **ordre**, une **suggestion** ou une **consigne**.

ORDRE	Hang up immediately. Raccroche immédiatement.
SUGGESTION	Open the window if you want. Ouvre la fenêtre si tu veux.
CONSIGNE	Put the verbs in brackets into the correct tense. Mettez le verbe entre parenthèses au temps qui convient.

NOTEZ BIEN

Always et *never* se placent avant le verbe à l'impératif.

Never say never.
Il ne faut jamais dire « jamais ».

RÔLE ET PLACE DES PRÉPOSITIONS

La préposition sert à relier un verbe et son complément.
La place de la préposition est souvent la même en anglais
et en français. Mais dans les questions et les relatives,
elle apparaît le plus souvent à la **fin de la proposition**.

- We talked about the past.
  Nous avons parlé du passé.

- What did you talk about?
  De quoi avez-vous parlé?

- He's the one I was talking about.
  C'est de lui que je parlais.

PRÉPOSITION EN ANGLAIS, PAS EN FRANÇAIS

aim at sth : viser qqch.	look at sth/sb : regarder qqch./qqn
deal with sth : traiter qqch.	look for sth/sb : chercher qqch./qqn
hope for sth : espérer qqch.	
listen to sth/sb : écouter qqch./qqn	pay for sth : payer qqch.
	wait for sth/sb : attendre qqch./qqn

- How can you account for his behaviour?
  Comment pouvez-vous expliquer__ sa conduite?

PRÉPOSITION EN FRANÇAIS, PAS EN ANGLAIS

ask sb : demander à qqn	obey sb : obéir à qqn
discuss sth : discuter de qqch.	remember sth/sb : se souvenir de qqch./qqn
doubt sth : douter de qqch.	
enter sth : entrer dans qqch.	tell sb : dire à qqn
forgive sb : pardonner à qqn	trust sb : faire confiance à qqn
lack sth : manquer de qqch.	

- Come on, answer__ your brother!
  Allez, réponds à ton frère!

20 Les verbes + particule

RÔLE ET PLACE DES PARTICULES

Certains verbes sont en deux parties : le verbe lui-même + un petit mot qui s'appelle «particule». La particule **fait partie du verbe**. Elle en modifie le sens. Comparez le sens de base d'un verbe et son sens lorsqu'il est modifié par une particule :

VERBE DE BASE	VERBE + PARTICULE
bring : apporter	bring back : rapporter, ramener
	bring up : élever
put : mettre	put off : remettre à plus tard
	put on : enfiler [un vêtement]
	put sb up : héberger qqn
take : prendre	take after sb : ressembler à qqn
	take back : reprendre
	take down : noter
	take sth off : enlever qqch.

Deux places sont possibles pour la particule : **après** le verbe et son complément ou **entre** le verbe et son complément.

- Turn the lights **off**.
- Turn **off** the lights.
  Éteins la lumière.

PRINCIPALES PARTICULES

PARTICULE	SENS GÉNÉRAL	EXEMPLE
about	dans différentes directions	walk about : se promener
across	à travers [espace à deux dimensions]	walk across : traverser
along	le long de	move along : avancer
around, round	circularité	look round : regarder autour de soi
away	éloignement	take sth away : emporter qqch.

PARTICULE	SENS GÉNÉRAL	EXEMPLE
back	retour	come back: revenir
down	mouvement vers le bas/diminution	turn the radio down : baisser la radio
in	intérieur	come in : entrer
off	séparation/coupure	take off : décoller
on	mouvement vers une surface/ continuité/ mise en marche	try clothes on : essayer des habits work on : continuer à travailler turn sth on : allumer [ordinateur]
out	mouvement vers l'extérieur	hand sth out : distribuer qqch.
over	mouvement au-dessus de	lean over : se pencher en avant
through	à travers [espace à trois dimensions]	go through : traverser
up	vers le haut/ achèvement	look up : lever les yeux drink up : vider son verre

VERBES + PARTICULE + PRÉPOSITION

Voici les verbes les plus fréquents qui sont suivis d'une particule puis d'une préposition.

catch up with sb : rattraper qqn
do away with sth : se débarrasser de qqch.
cut down on sth : réduire qqch.
get on with sb : s'entendre avec qqn
look down on sth/sb : mépriser qqch./qqn
look forward to sth : attendre qqch. avec impatience
look out for sth : être à la recherche de qqch.
make up for sth : compenser qqch.
put up with sth/sb : supporter, tolérer qqch./qqn
stand up to sth/sb : résister à qqch./qqn

- He's not up to the task.
  Il n'est pas à la hauteur de la tâche.
- We've run out of gas [US]/petrol [GB].
  Nous sommes tombés en panne d'essence.

GIVE SOMEBODY SOMETHING

Dans cette structure, on nomme d'abord la **personne**
à qui on donne l'objet, puis l'**objet**. En français, c'est l'inverse.

- I gave **John** the keys.

  I gave the keys to John. [moins fréquent]
  J'ai donné les clés à John.

Verbes qui se construisent comme *give*

bring : apporter	read : lire
feed : nourrir	sell : vendre
lend : prêter	send : envoyer
offer : offrir	show : montrer
pay : payer	take : apporter
present : présenter	tell : raconter
promise : promettre	write : écrire

- I teach my son maths.
  J'enseigne les maths à mon fils.

- I teach him maths.
  Je lui enseigne les maths.

Si le complément d'objet direct est un pronom, on utilise
obligatoirement une structure en *to*.

- I gave the keys to John.
  → I gave them to John. [gave john them]
  → I gave them to him. [gave him them]

BUY SOMEBODY SOMETHING

Buy se construit comme *give*.
Mais si on utilise une préposition, c'est *for* (et non to).

- I bought **my parents** a poodle.

  I bought a poodle **for** my parents. [to my parents]
  J'ai acheté un caniche à mes parents.

book : réserver	keep : garder
build : construire	leave : laisser
choose : choisir	make : faire
do : faire	order : commander
fetch : aller chercher	reserve : réserver
find : trouver	save : mettre de côté
get : obtenir	

- They cooked my brother a special meal.
  They cooked a special meal for my brother.
  Ils ont préparé un repas spécial pour mon frère.

PRÉPOSITION OBLIGATOIRE

Certains verbes sont obligatoirement suivis d'une préposition.
Retenez en particulier *describe, explain, hide, open, suggest*.
Il est impossible de calquer la structure française.

- Describe your house to me.
  Décris-moi ta maison.
- I've already explained the problem to you.
  Je t'ai déjà expliqué le problème.
- Don't hide the truth from me.
  Ne me cache pas la vérité.
- Could you open the door for me?
  Vous pourriez m'ouvrir la porte ?
- Could you suggest a nice restaurant to me?
  Pourriez-vous me suggérer un bon restaurant ?

22 Les prépositions

PRÉPOSITIONS DE LIEU

above : au-dessus de	near : près de
across [espace à deux dimensions] : de l'autre côté de, à travers	next to : à côté de
along : le long de	off : au large de/séparé de
among : parmi	on : sur
at : à/dans	opposite : en face de
behind : derrière	out of : hors de
below : au-dessous de	outside : à l'extérieur de
beside : à côté de	over [sens dynamique] : par-dessus/au-dessus de
between : entre	past : devant
by : près de	round : autour de
close to : tout près de	through [espace à trois dimensions] : à travers
down : en bas de	to [sens dynamique] : à/en
from [point de départ] : de	towards : vers
in : dans	under : sous
in front of : devant	up : en haut de
inside : à l'intérieur de	
into [sens dynamique] : dans	

- I'm from Hong Kong.
  Je suis de Hong Kong.
- They walked into the gym.
  Ils sont entrés dans la salle de gym.
- I'm going **to** the airport. ≠ I'm **at** the airport.
  Je vais à l'aéroport. ≠ Je suis à l'aéroport.

PRÉPOSITIONS DE TEMPS

On + jour de la semaine, date
> on Sunday
> on February 12

On + moment où une action s'est produite
> on my arrival : à mon arrivée

At + heure
> at 8 o'clock : à 8 heures

_At_ + nom de fête
> at Christmas : à Noël

_In_ + mois, saisons, années, siècles
> in June : en juin
> in winter : en hiver
> in 2020 : en 2020

_In_ +moment de la journée
> in the morning : le matin
> in the afternoon : l'après-midi
> **mais**
> at night : la nuit
> during the day : dans la journée

_In_ + période de temps dans l'avenir
> in two months _ou_ in two months' time : dans deux mois

_By_ + heure, date, période (pas plus tard que)
> by 8 : à 8 heures au plus tard
> by the end of the week : avant la fin de la semaine

During : durant, pendant (à l'intérieur d'une période de temps)
> during the war : pendant la guerre
> during our holidays : durant nos vacances

For = « pendant » quand on parle du passé ou de l'avenir
- I lived there for two years.
   J'y ai vécu (pendant) deux ans.

For = « depuis » quand l'action décrite n'est pas terminée
- I've been working here for four weeks.
   Je travaille ici depuis quatre semaines.

NOTEZ BIEN
For répond à la question _How long...?_ (Depuis combien de temps ?) et **_during_** à _When...?_ (Quand ?).

▸ _For_ ET _SINCE_ P.22
▸ DEPUIS P. 117

Until, up to
> until now, up to now, so far : jusqu'à présent
> until 1999, till 1999 : jusqu'en 1999
> up to the age of 20 : jusqu'à l'âge de 20 ans

◼ AUTRES PRÉPOSITIONS

◼ Cause

because of : à cause de
owing to : en raison de
considering, given : étant donné

◼ Contraste

contrary to, unlike : contrairement à
in spite of, despite : malgré
instead of : au lieu de

◼ Argumentation

according to : selon
as for : quant à
regarding, as regards : en ce qui concerne
about : à propos de

> NOTEZ BIEN
>
> «Selon» se dit *according to*, mais «selon moi» se dit
> ***in my opinion*** ou *to my mind*.
>
> *Before* et *after* peuvent être préposition (avant/après)
> ou conjonction (avant que/après que).
>
> I did it before you.
> Je l'ai fait avant toi.
> I did it before you were born.
> Je l'ai fait avant que tu ne sois né.

FORMATION DES ADVERBES

- De nombreux adverbes sont formés par **adjectif + -ly** : *slow* → *slowly, quick* → *quickly, easy* → *easily* (notez le changement de -y en -i*).

- Certains adverbes sont des mots autonomes : *never* (jamais), *often* (souvent), *perhaps* (peut-être), *soon* (bientôt)...

- Certains mots peuvent être adjectifs ou adverbes : *fast* (rapide / rapidement), *hard* (dur / durement, fort)...

  - These are hard times.
    Les temps sont durs.
  - They're working hard.
    Ils travaillent beaucoup.

PRINCIPAUX ADVERBES

Adverbes de lieu

here : ici	there : là, là-bas
upstairs : en haut	

Adverbes de temps

afterwards : après, par la suite	now : maintenant
already : déjà	soon : bientôt
at the moment : actuellement [≠ *actually* : en réalité]	still : encore
	then : alors
the day before : le jour d'avant	today : aujourd'hui
eventually : finalement	

Adverbes de fréquence

always : toujours	sometimes : parfois
hardly ever : presque jamais	often : souvent
now and then : de temps à autre	rarely, seldom : rarement
never : ne... jamais	usually : d'habitude

Adverbes de degré

a little, a bit, slightly : un peu	not at all : pas du tout
a lot : beaucoup	quite : tout à fait/[parfois] plutôt
almost, nearly : presque	rather : plutôt
enough : assez	too : trop
even : même	utterly : complètement
fairly : relativement	very much : beaucoup
hardly : à peine	very well : très bien

Adverbes d'ajout

also, too : aussi	also [en début de phrase] : en outre
as well : également	in addition : de plus

Adverbes de liaison

actually : en fait	moreover : de plus
anyway : de toute façon	so : ainsi
besides : d'ailleurs, de plus	therefore : par conséquent
incidentally : à propos	thus : ainsi

Adverbes de contraste

all the same : quand même	otherwise : sinon
(and) yet : (et) pourtant	still : cependant
however : cependant	though [en fin de phrase] : pourtant
nevertheless : néanmoins	

Adverbes de phrase

certainly : certainement	of course : bien sûr
clearly : de toute évidence	personally : à mon avis
definitely : sans aucun doute	possibly : peut-être
hopefully : je l'espère	probably : vraisemblablement
maybe, perhaps : peut-être	simply : absolument
obviously : manifestement	surely : sûrement

CAS GÉNÉRAL

➤ Les **adverbes** se placent souvent juste devant le <u>verbe</u>.

- I **never** <u>go</u> to the opera.
  Je ne vais jamais à l'opéra.

- He **probably** <u>missed</u> his train.
  Il a probablement raté son train.

- I **even** <u>knew</u> his date of birth.
  Je connaissais même sa date de naissance.

➤ **Exception** : l'adverbe se place **après** *am, is, are, was* et *were* (*be* conjugué).

- They <u>are</u> **often** at home.
  Ils sont souvent à la maison.

➤ S'il y a un auxiliaire, l'adverbe se place entre l'<u>auxiliaire</u> et le verbe.

- I <u>have</u> **always** <u>wanted</u> to visit Singapore.
  J'ai toujours voulu visiter Singapour.

- I <u>would</u> **certainly** <u>have</u> warned you.
  Je vous aurais certainement prévenu.
  [*Certainly* se place après le premier auxiliaire.]

➤ Dans les reprises, lorsque l'auxiliaire apparaît seul, l'adverbe se place **avant** l'auxiliaire (voir p. 86).

- "Do you ever watch TV?" "I **sometimes** do./
  I **never** can."
  « Ça t'arrive de regarder la télé ? – Parfois./Je ne peux jamais. »

➤ Certains adverbes de phrase peuvent se placer en début de phrase, notamment *admittedly, frankly, honestly, surprisingly*.

- Frankly, I don't care.
  Franchement, ça m'est égal.

Perhaps et *maybe* (peut-être) se placent le plus souvent en début de phrase.

- Maybe, you're right.
  Tu as peut-être raison.

CAS PARTICULIERS

▰ Les adverbes de degré (voir p. 51) se placent **devant** les mots qu'ils modifient.

- The table is **too** big for here. [*too* + adjectif]
  La table est trop grande pour ici.

- I'm **a little** tired. [*a little* + adjectif]
  Je suis un peu fatigué.

Exception : *enough* se place **après** l'adjectif qu'il modifie.

- You're not good enough to play with us.
  Tu n'es pas assez bon pour jouer avec nous.

▰ *Very well*, *a lot* et *at all* se placent généralement en fin de phrase.

- You speak French very well.
  Tu parles très bien français.

- I like it a lot.
  Je l'apprécie beaucoup.

- I don't like chemistry at all.
  Je n'aime pas du tout la chimie.

▰ *Very much* se place en fin de phrase ou entre le sujet et le verbe.

- I very much like cooking.

  I like cooking very much.
  J'aime beaucoup cuisiner.

▰ Les adverbes de lieu et de temps (voir p. 50) se placent **souvent en fin** de phrase. D'une manière générale, on énonce d'abord le lieu puis le temps.

- I'll meet you at the station at 5.
  Je te retrouverai à 5 heures à la gare.

DÉFINITIONS

➤ En français, on peut mettre l'article «un, une» devant pratiquement n'importe quel nom commun. Ce n'est pas le cas de l'anglais, qui distingue nettement les noms **dénombrables** et les noms **indénombrables**. Les dictionnaires le précisent.

➤ Les noms **dénombrables** sont des noms qu'on peut compter à l'aide de *a, two, many*.

a house : une maison
two houses : deux maisons
many houses : beaucoup de maisons

➤ Les noms **indénombrables** ne peuvent pas être comptés. Ils ne peuvent pas être précédés de *a, two, many*. *Advice* (conseil) est indénombrable. On ne peut donc pas dire *an advice*, mais on peut dire *a piece of advice* pour traduire «un conseil».

NOTEZ BIEN
Les noms indénombrables n'ont pas de pluriel. On ne peut donc pas dire *advices*, mais on peut dire *some advice* pour traduire «des conseils».

- What **is** the news?
  Quelles sont les nouvelles?

- The luggage **is** in the car, isn't it?
  Les bagages sont dans la voiture, n'est-ce pas?

- I need a piece of advice *ou* some advice.
  J'ai besoin d'un conseil.

- We had nice/awful weather.
  On a eu un beau/sale temps.

NOTEZ BIEN
Les noms indénombrables sont suivis d'un **verbe au singulier**.

DES INDÉNOMBRABLES À CONNAÎTRE

JAMAIS A DEVANT LE NOM	POUR DIRE « UN... »
accommodation : le logement	un logement : a place to live
advertising : la publicité	une publicité : an advertisement
advice : conseil(s)	un conseil : a piece of advice
bread : du pain	un pain : a loaf of bread
fruit : des fruits	un fruit : a piece of fruit, some fruit
furniture : des meubles	un meuble : a piece of furniture
homework : les devoirs	un devoir : an exercise
information : des renseignements	un renseignement : a piece of information
luck : la chance	une chance : a piece of luck, a stroke of luck
luggage : des bagages	un bagage : a piece of luggage
news : des nouvelles	une nouvelle : a piece of news
progress : le progrès	un progrès : a step forward
travel : les voyages	un voyage : a journey, a trip
weather : le temps	
work : le travail	un travail : un job

DÉNOMBRABLE OU INDÉNOMBRABLE

EMPLOI INDÉNOMBRABLE	EMPLOI DÉNOMBRABLE
business : les affaires	a business : un commerce, une affaire
chicken : le poulet	a chicken : un poulet
chocolate : le chocolat	a chocolate : un chocolat
coffee : le café	a coffee : un café
glass : le verre	a glass : un verre
hair : les cheveux	a hair : un cheveu, un poil
paper : le papier	a paper : un journal
stone : la pierre	a stone : une pierre
work : le travail	a work (of art) : une œuvre (d'art)

- Your hair looks great.
  Tes cheveux sont magnifiques. [Quand on parle des cheveux de quelqu'un, *hair* est indénombrable (toujours au singulier).]

- There were two grey hairs on your pillow.
  Il y avait deux cheveux gris sur ton oreiller.

(26) Le pluriel des noms

PLURIELS RÉGULIERS

Le pluriel régulier se forme en ajoutant **-s** au nom : *a street* → *two streets*.

Les noms se terminant par **-o**, **-ch**, **-s**, **-sh**, **-x** et **-z** font leur pluriel en **-es** : *a tomato* → *two tomatoes*, *a match* → *two matches*, *a boss* → *two bosses*, *a box* → *two boxes*, *a quiz* → *two quizzes* **mais** : *piano* → *pianos*, *photo* → *photos*.

Prononciation du **-s** du pluriel

/s/ après les consonnes sourdes /f/, /k/, /p/, /t/ : *cliffs, cooks*

/z/ après les autres consonnes et toutes les voyelles : *kids* /kɪdz/, *cars* /kɑːz/, *ideas* /aɪˈdɪəz/

Prononciation du **-es** du pluriel

/ɪz/ après les sons /s/, /z/, /ʃ/ et /ʒ/ : *bus* → *buses* /ˈbʌsɪz/, *brush* → *brushes* /ˈbrʌʃɪz/, *badge* → *badges* /ˈbædʒɪz/

QUELQUES PLURIELS IRRÉGULIERS

man (homme) → men	tooth (dent) → teeth
woman (femme) → women /ˈwɪmɪn/	mouse (souris) → mice
	fish (poisson) → fish
child /tʃaɪld/ (enfant) → children /ˈtʃɪldrən/	sheep (mouton) → sheep
foot (pied) → feet	aircraft (avion) → aircraft

NOMS TOUJOURS PLURIELS

Vêtements

pants, trousers : un pantalon	shorts : un short
pyjamas : un pyjama	tights : un collant

Si on veut parler d'une unité, on peut utiliser *a pair of*,
two pairs of...

- I want a new pair of jeans and three pairs of shorts.
  Je veux un nouveau jean et trois shorts.

Instruments

glasses : des lunettes	scales : une balance
nail scissors : des ciseaux à ongles	

Et aussi

clothes : les vêtements	the Middle Ages : le Moyen Âge
contents : le contenu	outskirts : la périphérie
customs : la douane	savings : les économies
goods : les marchandises	stairs : l'escalier
groceries : les provisions	surroundings : les environs

- Looks aren't everything.
  La beauté n'est pas tout.

PEOPLE ET *POLICE*

Les noms *people* et *police* sont **toujours** suivis d'un **verbe
au pluriel**. Ils sont repris par le pronom *they*.

- The police **have** arrived. **They**'re talking
  to my brother.
  La police est arrivée. Elle parle à mon frère.

On peut dire *many police* (de nombreux policiers)
et *many people* (beaucoup de gens) mais pas *much police*,
much people.

DIFFÉRENCES ANGLAIS / FRANÇAIS

Les noms de famille prennent un *-s* au pluriel.

- **The Browns** have invited the **Martins**.
  Les Brown_ ont invité les Martin_.

Les noms de pays au pluriel sont suivis d'un verbe
au singulier.

- The United States **is** 17 times as big as France.
  Les États-Unis sont 17 fois plus grands que la France.

27 L'article zéro (« absence d'article »)

CAS GÉNÉRAL

Pour exprimer une généralité, on emploie le nom **sans article (Ø)**. Si le nom est dénombrable, il est au pluriel. S'il est indénombrable, il est au singulier.

- _Computers drive me crazy.
  Les ordinateurs me rendent fou.

- _Life is beautiful.
  La vie est belle.

PAS D'ARTICLE EN ANGLAIS, ARTICLE EN FRANÇAIS

➤ *Man* et *society* s'emploient sans article et au singulier pour parler d'une généralité (alors qu'ils peuvent être dénombrables).

- Man is stronger than nature, but society is stronger than man.
  L'homme est plus fort que la nature, mais la société est plus forte que l'homme.

➤ Les **noms de repas** s'utilisent sans article.

- Dinner's ready!
  Le dîner est servi !

➤ Les noms de **langues** et de **sports** s'emploient sans article.

- English is an official language here.
  L'anglais est une langue officielle ici.

- Do you play tennis?
  Tu joues au tennis ?

➤ Les noms de **continents** et de **pays** s'emploient sans article.

   Africa : l'Afrique
   Britain : la Grande-Bretagne
   France : la France
   Quebec : le Québec

NOTEZ BIEN

Les noms de pays au pluriel ou qui incluent un nom commun s'emploient avec **the**.

the United States : les États-Unis

the United Kingdom : le Royaume-Uni

the United Arab Emirates : les Émirats arabes unis

the West Indies : les Antilles

Les noms de **lacs**, de **montagnes** et de **rues** s'utilisent sans article : *Lake Victoria, Mount Everest, Oxford Street*.

NOTEZ BIEN

On trouve *the* devant des noms de chaînes de montagnes : *the Alps* (les Alpes), *the Rockies* (les Rocheuses).

Les autres noms géographiques s'emploient avec *the*.

the Thames : la Tamise

the Saint Lawrence : le Saint-Laurent

the Mediterranean : la Méditerranée

the Atlantic Ocean : l'océan Atlantique

On n'emploie pas d'article devant un **titre suivi d'un nom propre** : *Queen Elizabeth, President Obama* (mais *the Queen, the President*).

« Le lundi, le mardi » : *on Mondays, on Tuesdays*

- I always go to work on Sundays!
  Je vais toujours au travail le dimanche !

EXPRESSIONS À RETENIR

go to bed, to school, to university, to prison, to hospital, to war, to work : aller au lit, à l'école, à l'université, en prison, à l'hôpital, à la guerre, au travail

be in bed, at school, at university, in prison, in hospital, at war, at work : être au lit, à l'école, à l'université, en prison, à l'hôpital, en guerre, au travail

go home : rentrer chez soi

be (at) home : être à la maison

be on holiday : être en vacances

by train/**by** car : en train/en voiture

on television : à la télévision

watch television : regarder la télévision **mais** listen to **the** radio, go to **the** cinema : écouter la radio, aller au cinéma

ARTICLE *A*

A ou *an* ?

A /ə/ DEVANT UN SON DE CONSONNE	*AN* /ən/ DEVANT UN SON DE VOYELLE
a nice meal : un bon repas	an incredible meal : un repas incroyable
a human being : un être humain	
a European country : un pays européen	an honest person : une personne honnête
[*European* commence par le son /j/ qui est une consonne.]	an hour : une heure
	[*An hour, an honest person* car on ne prononce pas le *h* dans *hour* et *honest*.]

A (an) : « un, une »

L'article *a (an)* s'emploie souvent comme « un, une ».

- I'd like **a** glass of water, please.
  Je voudrais un verre d'eau, s'il vous plaît.
- **A** child requires affection.
  Un enfant a besoin d'affection.

A (an) mais pas d'article en français

– Devant les noms de métier et de fonction

- My mother is **a** judge.
  Ma mère est _juge.

– Dans les négations et les appositions

- I have**n't** got **a** mobile phone.
  Je n'ai pas de téléphone portable.
- John Camm, **a** political analyst, has published an article on the subject.
  John Camm, politologue, a publié un article sur ce sujet.

A (an) mais pas « un/une » devant une unité de temps ou de mesure

60 kilometres an hour : 60 kilomètres à l'heure	twice **a week** : deux fois par semaine
$10 a litre : dix dollars le litre	€500 **a month** : 500€ par mois

Traduction de « des »

L'article *a (an)* n'a pas de pluriel. L'article « des » (ou « de »)
se traduit par *some* + nom au pluriel quand « des » signifie
« quelques », c'est-à-dire une quantité un peu vague mais pas
très importante.

- I need some shelves for my bedroom.
  Il me faudrait des étagères pour ma chambre.

ARTICLE *THE*

The se prononce /ðə/ devant un son de consonne et /ði/
devant un son de voyelle.

The (comme « le, la, les ») **renvoie à un élément connu**.

- Where's **the cat**?
  Où est le chat ? [le chat de la maison]
- **The spider** has four pairs of legs.
  L'araignée a quatre paires de pattes.

The s'emploie également :

– Devant un **élément unique** (culturellement connu) :
the sun (le soleil), *the world* (le monde), *the sea* (la mer),
the mass media (les médias), *the future* (l'avenir), *the cinema*
(le cinéma), *the environment* (l'environnement), *the country*
(la campagne), *the Queen* (la Reine).

– Devant des **groupes humains connus** désignés par un
adjectif : *the rich* (les riches), *the unemployed* (les chômeurs),
the blind (les aveugles), *the young* (les jeunes), *the elderly*
(les personnes âgées), *the English, the Americans, the French*.

► ADJECTIFS P. 78

– Devant un adjectif substantivé désignant une **notion
abstraite** : *the necessary* (le nécessaire), *the unexpected*
(l'inattendu), *the unknown* (l'inconnu).

NOTEZ BIEN
The se traduit par « le, la, les » mais « le, la, les » ne se traduit
pas toujours par *the*. Quand « le, la, les » renvoie à une
généralité, on n'emploie pas l'article en anglais (voir p. 58).

FORMES

SINGULIER	PLURIEL
this	these /ðiːz/
that	those /ðəʊz/

SINGULIER	PLURIEL
this one : celui-ci/celle-ci	these : ceux-ci/celles-ci
that one : celui-là/celle-là	those : ceux-là/celles-là
that of : celui de/celle de	those of : ceux de/celles de

- Take **these**. They are fresher. [*These ones* est familier.]
  Prends celles-ci, elles sont plus fraîches.

- My task is more difficult than **that of** my colleagues.
  Ma tâche est plus difficile que celle de mes collègues.

EMPLOIS

Avec *this*, celui qui parle se sent proche de quelque chose ou de quelqu'un. Avec *that*, il ne se sent pas proche.

– Dans l'espace

- Do you want to taste this soup?
  Tu veux goûter cette soupe ?

- This is Sophie and Mary.
  Voici Sophie et Marie.

- Did you see those stars?
  Tu as vu ces étoiles ?

- [au téléphone] Hi. This is Paul. Is that Liz?
  Bonjour. Ici Paul. C'est Liz ?

– Dans le temps

- Listen to this. It's a new song.
  Écoute ça. C'est une nouvelle chanson.

- That was interesting. What was the name of the journalist again?
  C'était intéressant. Comment il s'appelait déjà, le journaliste ?

Retenez :

these days : ces jours-ci	**this** time : cette fois-ci
in **those** days : en ce temps-là	**this** summer : cet été (prochain)
this morning : ce matin	**last** summer : cet été (l'été dernier)
that morning : ce matin-là	

NOTEZ BIEN

tonight : cette nuit (la nuit prochaine)
last night : cette nuit (la nuit dernière)

▰ Parfois, *this* témoigne d'un **intérêt** pour un sujet
et *that* d'un **rejet**.

- I'm really into **this** kind of music.
  Ce genre de musique me branche vraiment.
- Let's not go into **that** again!
  Ne revenons pas là-dessus !
- And that's **that**!
  Un point, c'est tout !

▰ *This* et *that* peuvent **reprendre les paroles** d'autrui.

- "We're getting married!" "That's *ou* This is great!"
  « On va se marier. – C'est génial ! »

NOTEZ BIEN

It ne peut pas reprendre les paroles d'autrui,
mais peut renvoyer à ce que je viens de dire.

So, she decided to shave her hair. But it *ou* this *ou* that didn't bother
her parents.
Et donc elle a décidé de se raser la tête. Mais ça n'a pas dérangé
ses parents.

30 No..., (a) little..., a lot (of)...

NO, NONE, NOT ANY

➡ *No* + nom : « aucun » + nom

- You, liar. You have no proof.
  Menteur ! Tu n'as aucune preuve.

➡ *None* : « aucun » pronom (sans nom)

- "How many of these DVDs have you watched?"
  "**None**."
  « Combien de ces DVD as-tu regardés ? – Aucun. »

➡ *Not any* : « ne... pas de » (forme la plus courante) ; on rencontre aussi *no* + nom (le verbe est alors à la forme affirmative).

- I have**n't** got **any** problems.
  I've got **no** problems.
  Je n'ai pas de problèmes.

- In the end, I did**n't** get **any** money.
  In the end, I got **no** money.
  Je n'ai finalement pas eu d'argent.

➡ *Not any more* : « ne plus »

- I don't like it any more [US: *anymore*].
  Ça ne me plaît plus.

- We haven't got any more bread.
  Nous n'avons plus de pain.

LES COMPOSÉS EN *NO-*

➡ Les principaux sont : *nothing = not... anything* (ne... rien), *no one, nobody = not... any one, not... anybody* (ne... personne), *nowhere = not... anywhere* (nulle part).

➡ Les formes en *not... any* sont plus fréquentes que les formes en *no-*.

- I didn't see anything. [verbe à la forme négative + *anything*]
  I saw nothing. [verbe à la forme affirmative + *nothing*]
  Je n'ai rien vu.

LITTLE ET *FEW, A LITTLE* ET *A FEW*

▰▰ *Little* + singulier, *few* + pluriel : « peu (de) »

- He paid **little** attention to what I was saying.
  Il a prêté peu d'attention à ce que je disais.

- **Few** people come to see him.
  Peu de gens viennent le voir.

▰▰ *A little* + singulier : « un peu (de) » (ne pas confondre avec *little* : « peu, peu de »)

- Could I have **a little** more coffee?
  Est-ce que je pourrais avoir un peu plus de café?

▰▰ *A few* + pluriel : « quelques » (ne pas confondre avec *few* : « peu, peu de »)

- He'll call you back in **a few** minutes.
  Il vous rappellera dans quelques minutes.

▸ PEU P. 144
▸ QUELQUE(S) P. 151

A LOT (OF), *MUCH*, *MANY* (BEAUCOUP DE)

▰▰ *A lot (of)*

- I go out a lot.
  Je sors beaucoup.

- A lot of tourists *ou* Lots of tourists want to cancel their trip.
  Beaucoup de touristes veulent annuler leur voyage.

- I don't have a lot of money with me.
  Je n'ai pas beaucoup d'argent sur moi.

▰▰ *Much* + singulier et *many* + pluriel s'emploient surtout dans les phrases **interrogatives** et **négatives**. Le nom peut être sous-entendu.

- I haven't got much time, I'm afraid.
  Je regrette, mais je n'ai pas beaucoup de temps.

- "Did you buy many souvenirs?" "No, not many."
  « Tu as acheté beaucoup de souvenirs? – Non, pas beaucoup. »

▸ BEAUCOUP P. 109
▸ TANT, TELLEMENT (DE)... QUE P. 157
▸ TROP P. 159

DANS LES PHRASES AFFIRMATIVES ET NÉGATIVES

Some s'emploie dans les phrases **affirmatives**, *any* dans les phrases **négatives**. Ils se traduisent par « du, de la, des, de ».

- "I'd like **some butter** with my meal." "I'm sorry, we have**n't** got **any butter**."

  « J'aimerais du beurre avec mon repas. – Désolé, nous n'avons pas de beurre. »

  ▸ DE, DE LA, DU, DES P. 116

NOTEZ BIEN

Never est un adverbe négatif. Il s'emploie donc avec un verbe à la forme affirmative et *any*.

I've **never** seen **any**one so helpful.
Je n'ai jamais vu quelqu'un d'aussi serviable.

Le nom après *some* et *any* peut être **sous-entendu**, s'il est évident.

- "I bought too many stamps. Would you like **some**?" "No, I don't need **any**."

  « J'ai acheté trop de timbres. Tu en voudrais ? – Non, je n'en ai pas besoin. »

- I didn't want any of them.
  Je n'en voulais aucun.

DANS LES PHRASES INTERROGATIVES

Avec *some*, on s'attend plutôt à une réponse positive. *Any* est plus neutre.

- Did we get some mail today?
  [Je m'attends plutôt à une réponse positive.]
  Did we get any mail today?
  [Je ne présuppose aucune réponse.]

  On a reçu du courrier aujourd'hui ?

Quand on **offre quelque chose** dans une interrogative, on utilise donc *some*.

- Would you like some more tea?
  Tu voudrais un peu plus de thé?

EMPLOIS PARTICULIERS

Some + nom : « un certain », « certains »

- That's what **some philosopher** said.
  C'est ce qu'a dit un certain philosophe.

- **Some people** are obsessed with diets, others with games.
  Certaines personnes sont obsédées par les régimes, d'autres par les jeux.

Any : n'importe quel

- Any child knows that.
  N'importe quel enfant sait ça.

- Call me (at) any time.
  Appelle-moi à n'importe quelle heure.

Les composés en *some-* et *any-* s'emploient de la même façon que *some* et *any* : *something/anything* (quelque chose), *somebody* ou *someone/anybody* ou *anyone* (quelqu'un), *somewhere/anywhere* (quelque part).

- Did you talk to someone?
  Tu as parlé à quelqu'un?
  [Je pense que oui.]

- Is anyone home?
  Est-ce qu'il y a quelqu'un à la maison?
  [Je ne sais pas.]

Dans une phrase affirmative, les composés en *any-* se traduisent par « n'importe... » : *anything* (n'importe quoi), *anybody*, *anyone* (n'importe qui), *anywhere* (n'importe où), *anyhow* (n'importe comment).

- I'd give anything to be with her.
  Je donnerais n'importe quoi pour être avec elle.

EACH ET *EVERY*

— *Each* (chaque) et *every* («chaque» ou «tout/tous») sont suivis d'un **nom au singulier**.

- She shook the hand of each candidate.
  Elle serra la main de chaque candidat.

- Every shop assistant worked very hard and each one got a rise.
  Tous les vendeurs ont travaillé très dur et chacun a obtenu une augmentation.

— *Every* est **obligatoirement** suivi par un nom. *Each* peut ne pas être suivi par un nom.

- I warned each of my friends/each of them.
  J'ai prévenu chacun de mes amis/chacun d'entre eux.

— Notez les **composés** de *every*.

everyone, everybody : tout le monde, chacun
everything : tout
everywhere : partout

ALL

— *All* («tout»/«tous») est suivi d'un nom singulier ou pluriel.

- All my life is summed up in this book.
  Toute ma vie est résumée dans ce livre.

- All my friends were there.
  Tous mes amis étaient là.

— Dans les expressions temporelles, *all* exprime la durée, *every* la fréquence.

all day : toute la journée
every day : chaque jour

> **NOTEZ BIEN**
> *The* est **facultatif** dans *all (the) morning/afternoon/week/summer/year...* mais **impossible** dans *all day* et *all night*.
> Avec l'adjectif *long*, on n'emploie pas *the* :
> *all night/summer/year* **long**.

▸ TOUT P. 158

ONE

▬ *One* est un numéral ; il signifie *not two*.

- I just need one aspirin.
  Je n'ai besoin que d'une aspirine.

▬ *One* peut aussi reprendre un nom dénombrable. Il peut alors se mettre au pluriel : *ones*.

- I've got several cameras. I can lend you one.
  J'ai plusieurs appareils photo. Je peux t'en prêter un.

- I don't like these glasses. I prefer the round ones.
  Je n'aime pas ces lunettes. Je préfère les rondes. [En anglais, contrairement au français, il faut un nom ou *one* après l'adjectif.]

THE TWO ET BOTH

▬ *Both* (tous les deux) et *the two* (les deux) sont souvent interchangeables. *Both* est plus insistant (pas seulement l'un).

- The two books are very different but both are worth reading.
  Les deux livres sont très différents mais tous les deux valent la peine d'être lus.

▬ *Both* peut aussi se mettre devant un verbe.

- Our parents both like cooking.
  Both our parents like cooking.
  Nos parents aiment tous les deux faire la cuisine.

NOTEZ BIEN
Both... and signifie « à la fois... et ».

Both George and Michelle went to Greece.
George et Michelle sont tous deux (l'un et l'autre) allés en Grèce.

EITHER ET NEITHER

▬ *Either* /ˈaɪðə/ ou /ˈiːðə/ + nom : « l'un ou l'autre »

- Either day suits me.
  L'un ou l'autre jour me convient.

➡ *Neither*/ˈnaɪðə/ ou /ˈniːðə/ + nom : « ni l'un ni l'autre »

- Neither team deserved to win.
  Ni l'une ni l'autre des équipes ne méritait de gagner.

  NOTEZ BIEN
  Neither a un sens **négatif** et s'emploie donc avec un verbe
  à la forme affirmative.

➡ *Either... or* : « soit... soit » / *neither... nor* : « ni... ni »

- You can either come with me or stay here.
  Tu peux soit venir avec moi soit rester ici.

- They can neither read nor write.
  Ils ne savent ni lire ni écrire.

➡ *Not... either* : « (ne... pas) non plus »

- "I don't like wasting my time." "I don't like it either."
  « Je n'aime pas perdre mon temps. – Je n'aime pas ça non plus. »

PRONOMS PERSONNELS SUJETS	PRONOMS PERSONNELS COMPLÉMENTS	DÉTERMINANTS POSSESSIFS + NOM	PRONOMS POSSESSIFS
I	me	my	mine
you	you	your	yours
he/she/it	him/her/it	his/her/its	his/hers/its
we	us	our	ours
they	them	their	theirs

PRONOMS PERSONNELS

➠ De façon générale, ils fonctionnent comme en français, mais il existe un genre neutre. *He* renvoie à des personnes de sexe masculin, *she* à des personnes de sexe féminin, *it* à des animaux ou des objets.

➠ Les pronoms indéfinis *anybody*, *anyone*, *everybody*, *everyone*, *nobody*, *no one* et *somebody*, *someone* peuvent être repris par *they*, surtout à l'oral.

- If somebody phones, tell **them** I'll be back at 10.
  Si quelqu'un téléphone, dis-lui que je serai de retour à dix heures.

▸ C'EST P. 110

DÉTERMINANTS POSSESSIFS *(MY, YOUR...)*

➠ Le choix entre *his*, *her* et *its* dépend du «possesseur».

On parle de John : *his* suicase (sa valise), *his* office (son bureau).

On parle de Jacqueline : *her* suitcase (sa valise), *her* office (son bureau).

On parle d'une voiture : *its* value (sa valeur), *its* boot (son coffre).

■ En anglais, on utilise le déterminant possessif devant les **parties du corps** et les **vêtements**. En français, on préfère l'article défini.

- Take your hands out of your pockets.
  Sors les mains des poches.
- I broke my leg skiing.
  Je me suis cassé la jambe en faisant du ski.

■ Après un déterminant possessif au pluriel (*our*, *your*, *their*...), on emploie généralement un nom au **pluriel**.

- Raise your hands before speaking!
  Levez la main avant de parler !

PRONOMS POSSESSIFS *(MINE, YOURS...)*

mine [à moi] : le mien, la mienne, les miens, les miennes
yours [à toi] : le tien, la tienne, les tiens, les tiennes
his [à lui] : le sien, la sienne, les siens, les siennes
hers [à elle] : le sien, la sienne, les siens, les siennes
ours [à nous] : le nôtre, la nôtre, les nôtres
yours [à vous] : le vôtre, la vôtre, les vôtres
theirs [à eux] : le leur, la leur, les leurs

NOTEZ BIEN
On n'emploie surtout pas *the* devant les possessifs.

«Un de mes/tes... + nom » peut se dire *a* + nom + *of* + pronom **possessif.**

un de mes amis ➔ a friend of mine

une de tes collègues ➔ a colleague of yours

(35) Noms suivis d'un autre nom

NOMS COMPOSÉS

La plupart des noms composés sont formés d'un nom suivi directement d'un autre nom. L'ordre des mots est souvent l'inverse de l'ordre français.

a weather report : un bulletin météo
the office hours : les heures de bureau

Les noms composés s'écrivent parfois en un seul mot, moins souvent avec un trait d'union : *policeman* (policier), *taxpayer* (contribuable), *car-maker* (constructeur automobile).

GÉNITIF : FORMES

nom au singulier	's	my friend's car : la voiture de mon ami
nom au pluriel irrégulier	's	these women's cars : les voitures de ces femmes
nom au pluriel régulier	'	my parents' car : la voiture de mes parents

Le **s** du génitif se prononce comme le -*s* du pluriel des noms (voir p. 56).

On ajoute **'s** à un nom au singulier qui se termine par un -*s*.

my boss's office : le bureau de mon patron
Chris's brother : le frère de Chris

Le nom à droite du génitif est souvent sous-entendu lorsqu'il correspond à *church*, *cathedral*, *shop* ou *house*.

Saint-Paul's : la cathédrale Saint-Paul
at Joe and Cathy's : chez Joe et Cathy

GÉNITIF : EMPLOIS

Le génitif joue le même rôle vis-à-vis du nom que le déterminant possessif.

Paul's motorbike : la moto de Paul
his motorbike : sa moto

- Seul un nombre **limité** de noms peut être employé au génitif : noms désignant des personnes, des institutions, des animaux, des lieux, des pays.

    Peter Gabriel's concerts : les concerts de Peter Gabriel

    India's exports : les exportations de l'Inde

- On rencontre aussi le génitif après une date.

    yesterday's papers : les journaux d'hier

- On l'emploie également pour désigner une sous-catégorie.

CATÉGORIE	SOUS-CATÉGORIE
clothes : des habits	children's clothes : des vêtements pour enfants
milk : du lait	sheep's milk : du lait de brebis

NOM + *OF* + NOM

- Quand on ne peut pas utiliser le génitif, on emploie **nom + *of* + nom.**

    the roof of the house : le toit de la maison

    the love of money : l'amour de l'argent

- C'est particulièrement le cas avec :

un contenant
a cup of coffee : une tasse de café
≠ a coffee cup : une tasse à café

une quantité
a slice of bread : une tranche de pain
a group of students : un groupe d'étudiants

un terme qui permet de localiser
the top of the page : le haut de la page
the back of the car : l'arrière de la voiture
the end of the story : la fin de l'histoire

NOMBRES CARDINAUX ET ORDINAUX

CARDINAUX	ORDINAUX
1 one	1st first
2 two	2nd second
3 three	3rd third
4 four	4th fourth
5 five	5th fifth
6 six	6th sixth
7 seven	7th seventh
8 eight	8th eighth
9 nine	9th ninth
10 ten	10th tenth
11 eleven	11th eleventh
12 twelve	12th twelfth
13 thirteen	13th thirteenth
20 twenty	20th twentieth
21 twenty-one	21st twenty-first
22 twenty-two	22nd twenty-second
30 thirty	30th thirtieth
40 forty	40th fortieth
100 a/one hundred	100th hundredth
1000 a/one thousand	1000th thousandth
1,000,000 a/one million	1,000,000th millionth
1,000,000 a/one billion	1,000,000,000th billionth

➡ On utilise les ordinaux dans les fractions, sauf pour « quart »
(*quarter*) et « demi » *(half)*.

$4/5$: four fifths　　　$1/2$: one half　　　$3/4$: three quarters

NOTEZ BIEN

Notez l'ordre des mots et l'accord avec *half*.

half an hour *ou* a half-hour : une demi-heure

an hour and a half *ou* one and a half hours : une heure et demie

En anglais, le cardinal se place après l'ordinal et aussi après *last*, *next*, *other* et les quantifieurs. Comparez avec le français.

the first **twenty** members : les **vingt** premiers membres
the next **few** days : les **quelques** jours à venir

LIRE LES CHIFFRES ET LES NOMBRES

Les **décimales** se lisent chiffre par chiffre. On utilise un **point** devant les décimales et non une virgule comme en français.

6.56 : six point five six
6,56 : six virgule cinquante-six

On emploie *and* devant les dizaines et les unités.

356 : three hundred and fifty six [*And* est facultatif en anglais américain.]

On emploie des ordinaux pour les noms de rois et de papes.

Queen Elizabeth II : Queen Elizabeth the Second

mais

World War II : World War Two *ou* the Second World War

LIRE ET ÉCRIRE LES DATES

Les **dates** se lisent par groupes de deux chiffres.

1800 : eighteen hundred
1908 : nineteen oh eight *ou* nineteen hundred and eight
1980 : nineteen (hundred and) eighty

mais

2000 : two thousand
2015 : two thousand and fifteen [et de plus en plus *twenty fifteen*]

Les **jours** se lisent de deux façons :

27 *ou* 27th May 1999 [plutôt britannique]
→ **the** twenty-seven**th** of May, nineteen ninety-nine
May 27, 1999 [plutôt américain]
→ May (**the**) twenty-seven**th**, nineteen ninety-nine

NOTEZ BIEN
2.9.12 ou *2/9/12* signifie le 2 septembre 2012 en anglais britannique et le 9 février 2012 en anglais américain.

(37) Les pronoms réfléchis et réciproques

LES PRONOMS RÉFLÉCHIS

myself	yourself	himself, herself, itself
ourselves	yourselves	themselves
[*yourself* = une personne, *yourselves* = plusieurs personnes]		

- Un pronom réfléchi est un pronom qui renvoie à une personne déjà mentionnée.

  - He **was** looking at **himself** in the mirror.
    Il se regardait dans le miroir.
    [*He (John) was looking at him* signifierait que John regardait un autre homme.]

- Un pronom réfléchi se traduit très souvent par « **se** (+ verbe) » : *burn oneself* (se brûler), *clean oneself* (se laver), *cut oneself* (se couper), *defend oneself* (se défendre), *help oneself* (se servir), *look at oneself* (se regarder).

- Inversement, « se + verbe » ne se traduit pas toujours par un pronom réfléchi : *get bored* (s'ennuyer), *relax* (se détendre).

- Le pronom réfléchi peut aussi avoir une valeur d'**insistance** (moi-même, toi-même, lui-même...).

  - Do it yourselves.
    Faites-le vous-mêmes.

  - I'll open it myself.
    Je vais l'ouvrir moi-même.

LES PRONOMS RÉCIPROQUES

- *Each other* et *one another* expriment l'idée de « mutuellement » (l'un l'autre ; les uns les autres). Ils s'utilisent de la même façon, mais *each other* est plus fréquent.

  - We love each other but we don't tell each other everything.
    Nous nous aimons mais nous ne nous disons pas tout.

- Certains verbes anglais impliquent l'idée de réciprocité. On ne les emploie donc pas avec *each other/one another* : *fight* (se battre), *meet* (se rencontrer).

▶ SE + VERBE P. 153

NATURE ET FONCTION DES ADJECTIFS

➤ La plupart des adjectifs sont des mots simples : *big*, *nice*, *small*. Les adjectifs sont invariables : jamais de *-s* au pluriel.

➤ Certains adjectifs sont formés à partir du **participe passé** ou du **participe présent** (V-*ing*). Les adjectifs en -*ed* ont un sens **passif** ; ceux en -*ing* ont un sens **actif**.

ADJECTIFS EN -*ED*	ADJECTIFS EN -*ING*
amazed : étonné	amazing : étonnant
confused : dérouté	confusing : déroutant
interested : intéressé	interesting : intéressant
bored : qui s'ennuie	boring : ennuyeux
worried : soucieux	worrying : inquiétant

➤ Certains adjectifs sont employés comme des **noms**. Ils sont précédés de *the* (voir p. 61) et désignent un **groupe humain**. Ils ne prennent pas le *-s* du pluriel mais sont suivis d'un **verbe au pluriel**.

• The unemployed **are** unhappy with these measures.
  Les chômeurs sont mécontents de ces mesures.

the dead : les morts	the old : les vieux
the injured : les blessés	the poor : les pauvres
the handicapped : les handicapés	the rich : les riches

➤ Les adjectifs épithètes modifient directement le nom. On les oppose aux adjectifs attributs, reliés au nom par un verbe (*be, become, feel, look, seem, taste*…).

a large blue hat : un grand chapeau bleu *[The hat **was** large and blue.]*

PLACE DES ADJECTIFS ÉPITHÈTES

➤ L'adjectif épithète se place **avant le nom**, même lorsqu'il est modifié par un adverbe comme *very*.

• It's a (very) funny film.
  C'est un film (très) drôle.

L'ordre des adjectifs va **du plus subjectif** (le plus loin à gauche du nom) **au plus objectif** (le plus près à gauche du nom).

JUGEMENT	TAILLE	ÂGE	COULEUR	ORIGINE	MATIÈRE	NOM
clever	big	old	black	American		guy
lovely	small		brown	Belgian	wooden	toy

Retenez l'ordre jugement + TACOM (Taille Âge Couleur Origine Matière).

S'il y a plus de deux adjectifs, ils sont souvent séparés par des virgules, sauf s'ils sont courts.

a nice little red car : une petite voiture rouge sympa

a stupid, incompetent, lazy creep : un pauvre type stupide, incompétent et paresseux

PLACE DES ADJECTIFS ATTRIBUTS

Lorsque plusieurs adjectifs attributs se suivent, le dernier est souvent précédé de *and*.

- The film was long, boring and pretentious.
  Le film était long, ennuyeux et prétentieux.

Les adjectifs attributs peuvent être suivis d'une **préposition + complément**.

- I feel very close to my sister.
  Je me sens très proche de ma sœur.

QUELQUES ADJECTIFS + PRÉPOSITION

angry (mécontent), sorry (désolé) **about** sth

angry, mad (en colère), good (bon) **at** sth

shocked (choqué), surprised (surpris) **at** *ou* **by** sth

famous (célèbre), responsible (responsable) **for** sth

different (différent), separate (séparé) **from** sth

interested (intéressé), disappointed (déçu) **in** sth/sb

afraid, frightened, scared, terrified (effrayé) **of** sth ; proud (fier) **of** sth

keen (enthousiasmé), dependent (dépendant) **on** sth/sb

close (proche), grateful (reconnaissant) **to** sb

disappointed (déçu), be fed up (en avoir assez de) **with** sth/sb

▸ **VERBES + PRÉPOSITION P. 42**

COMPARATIFS D'ÉGALITÉ

➡ *As... as* : « aussi... que »

- I'm **as** tall **as** you/as my brother.
  Je suis aussi grand que toi/que mon frère.
- I can do it **as** quickly **as** you (can).
  Je peux le faire aussi vite que toi.

NOTEZ BIEN

Quand *as* est suivi d'un **pronom personnel**, on utilise
le pronom complément.

You're as late as **me**.
Tu es aussi en retard que moi.

➡ *Not as* (ou *so*)... *as* : « pas aussi... que »

- Ben is **not as** (*ou* so) tall **as** Corrie.
  Ben n'est pas aussi grand que Corrie.

➡ *As much* + singulier/*many* + pluriel... *as* : « autant de... que »

- We have **as much** work **as** them but not **as many**
  customers.
  Nous avons autant de travail qu'eux mais pas autant de clients.

  ▸ AUTANT DE P. 107

COMPARATIFS DE SUPÉRIORITÉ

➡ On ajoute *-er* aux adjectifs courts (adjectifs d'une syllabe
ou adjectifs de deux syllabes se terminant par *-y*) :
strong → stronger, small → smaller, happy → happier
(le *-y* se transforme en *-i*).

➡ Les adjectifs longs (adjectifs de deux syllabes sauf ceux en *-y*
ou adjectifs de plus de deux syllabes) se construisent
avec *more* : *more patient, more polite, more intelligent*.

- New York is bigg**er than** San Francisco and **more**
  cosmopolitan.
  New York est plus grand que San Francisco et plus cosmopolite.

NOTEZ BIEN

Attention à bien employer **than** et non *that* après les comparatifs de supériorité.

━━ Comparatifs irréguliers

good, well → better : bon, bien → meilleur
bad → worse : mauvais → plus mauvais, pire
far → further, farther : loin → plus loin
old → elder : l'aîné de deux
old → older [régulier] : plus vieux

━━ *The more…, the more…* : « plus…, plus… »
On a systématiquement **the… the** en anglais.

● **The** more I hear her, **the** more I like her.
Plus je l'entends, plus je l'apprécie.

▸ PLUS P. 145

COMPARATIFS D'INFÉRIORITÉ

━━ *Less… than* ne s'emploie pas autant que « moins… que ».
On préfère souvent utiliser *not as* (ou *not so*)… *as*.

● This one is less expensive than that one.
This one is **not as** (*ou* **so**) expensive **as** that one.
Celui-ci est moins cher que celui-là.

━━ *Less* + singulier, *fewer* ou *less* + pluriel : « moins de »

● I've got **less** time than you and **fewer** (*ou* less) friends too.
J'ai moins de temps que toi et aussi moins d'amis.

NOTEZ BIEN

À l'écrit, on préfère *fewer* + pluriel mais à l'oral *less* + pluriel s'impose de plus en plus.

━━ *Less and less* : « de moins en moins »

● We go out less and less.
Nous sortons de moins en moins.

● They are less and less tolerant.
Ils sont de moins en moins tolérants.

▸ MOINS P. 138

SUPERLATIFS DE SUPÉRIORITÉ

On ajoute -*est* aux adjectifs courts. Les adjectifs longs se construisent avec **the most**.

- Hong Kong is the largest and most fascinating city I've ever seen.
  Hong Kong est la ville la plus grande et la plus fascinante que j'aie jamais vue.

Superlatifs irréguliers

good, well → the best : le meilleur
bad → the worst : le plus mauvais, le pire
far → the furthest, the farthest : le plus loin
old → the eldest : l'aîné de plusieurs
old → the oldest [régulier] : le plus vieux

SUPERLATIFS D'INFÉRIORITÉ

The least : « le moins »

- This is the least attractive city I've ever visited.
  C'est la ville la moins attirante que j'aie jamais visitée.

As little... as possible : « le moins... possible »

- I see them as little as possible.
  Je les vois le moins possible.

40 Exclamation, négation, interrogation

EXCLAMATION

➡ **What** (quel) et **such** (tel) sont suivis d'un **nom**.

- What a fool I was! [what + a]
  Quel idiot j'ai été!
- He's such a liar! [such + a : « un + tel »]
  C'est un tel menteur!

➡ **How** (comme) et **so** (si, tellement) sont suivis d'un **adjectif** ou d'un **adverbe**.

- How hot it was!
  Comme il faisait chaud!
- It was so hot!
  Il faisait si chaud!

NÉGATION

➡ Un auxiliaire (ou un modal) est **obligatoire** dans la phrase négative. L'ordre des mots est **sujet + auxiliaire + *not* + verbe**.

- We don't want to stay.
  Nous ne voulons pas rester.
- They may not agree.
  Il est possible qu'ils ne soient pas d'accord.

▸ *NO, NOT ANY* P. 64

➡ Il ne peut y avoir **qu'une négation** dans une phrase. Lorsqu'on emploie un mot négatif comme *never*, *nobody*, *nothing*, *nowhere*, le verbe est à la forme **affirmative**.

- I've never been to Japan.
  Je ne suis jamais allé au Japon.
- I can go nowhere.
  Je ne peux aller nulle part.

INTERROGATION

S'il n'y a pas de mot interrogatif, l'ordre est **auxiliaire** (ou modal) + **sujet** + **verbe**. L'intonation est **montante**.

- Did you like the film↗
  Tu as aimé le film↗

Avec un mot interrogatif, l'ordre est **interrogatif** + **auxiliaire** + **sujet**. L'intonation est **descendante**, comme dans une phrase affirmative.

INTERROGATIF	AUXILIAIRE	SUJET	VERBE
What	were	you	doing there↘
Who	did	they	talk to↘

Si le mot interrogatif est **sujet**, on n'utilise pas l'auxiliaire *do*.

- What happened↘
  Qu'est-ce qui s'est passé↘ [*What* est sujet de *happened*.]

Les **prépositions** se placent habituellement **à la fin de la question**.

- What are you thinking **about**↘
  À quoi penses-tu↘

► VERBES + PRÉPOSITION P. 42
► INTERROGATION INDIRECTE P. 99

INTERROGATIFS EN *WH-*

what : que	when : quand	where : où	which : quel
who : qui	whose : à qui	why : pourquoi	

What + nom et *which* + nom se traduisent par « quel ? ». Avec *which*, le choix est restreint.

- What colour is the sky↘
  De quelle couleur est le ciel↘

- Which colour do you prefer: red or blue↘
  Quelle couleur préfères-tu : le rouge ou le bleu↘

Whose sert à demander à qui appartient quelque chose.

- Whose video game is it↘
  À qui appartient ce jeu vidéo↘

▸ **What** pronom signifie « (qu'est-ce) que ? ».

- What do you want?
  Que veux-tu?

▸ **Which** pronom ou suivi de *one(s)* signifie « lequel ? ».

- Which (one) do you want?
  Lequel veux-tu?
- Which ones do you want?
  Lesquels veux-tu?

INTERROGATIFS AVEC *HOW*

▸ **How much** + singulier et **How many** + pluriel (combien ?)

- How much is it?
  Combien ça coûte?
- How many pets have you got?
  Combien d'animaux domestiques as-tu?

▸ **How long** + present perfect ou past perfect (depuis combien de temps ?)

- How long have you been together?
  Depuis combien de temps êtes-vous ensemble?
- How long had you been together?
  Depuis combien de temps étiez-vous ensemble?
  ▸ *FOR, SINCE* ET *HOW LONG* P. 22

▸ **How long** + prétérit ou présent (pendant combien de temps ?)

- How long did you live in Germany?
  Pendant combien de temps as-tu vécu en Allemagne?
- How long are you here for?
  Tu es ici pour combien de temps?

▸ **How** + adjectif

- How **old** are you?
  Quel âge as-tu?
- How **far** is it?
  C'est à quelle distance?

▸ COMBIEN ? P. 114

(41) *Question tags*, reprises brèves, réponses brèves

QUESTION TAGS

Les *(question) tags* se traduisent par « n'est-ce pas ? », « hein ? », « non ? », « pas vrai ? ». On les forme en reprenant dans le *tag* l'auxiliaire de la phrase de départ.

➡ Phrase affirmative → *tag* négatif : auxiliaire + *n't* + pronom

- You're exhausted, aren't you?
  Tu es épuisé, non?

Si la phrase n'a pas d'auxiliaire, on a recours à **do** dans le *tag*.

- He looks young, **doesn't** he?
  Il fait jeune, hein?

➡ Phrase négative → *tag* positif : auxiliaire + pronom

- They **haven't** arrived yet, **have** they?
  Ils ne sont pas encore arrivés, hein?

Si la phrase n'a pas d'auxiliaire, on a recours à **do** dans le *tag*.

- Nobody signed the petition, **did** they?
  Personne n'a signé la pétition, n'est-ce pas?

NOTEZ BIEN
This / that est repris par *it*, les pronoms en *-body* et *-one* par *they*.

That's nice, isn't it?
C'est sympa, non?

REPRISES BRÈVES

➡ « Moi / toi / elles aussi » se traduit le plus souvent par **so + auxiliaire + sujet**. Quand il n'y a pas d'auxiliaire dans la phrase de départ, on emploie *do* après *so*.

À l'oral, « moi aussi » se dit souvent *me too*.

- "I'm fed up." "Me too *ou* So am I."
  « J'en ai marre. – Moi aussi. »

- "I love you." "Me too *ou* So do I."
  « Je t'aime. – Moi aussi. »

➤ « Moi/toi/elles non plus » se traduisent souvent par *Neither* (ou *Nor*) + **auxiliaire** + **sujet**.

À l'oral, « moi non plus » se dit souvent *me neither* ou *nor me*.

- "I've never been to Scotland." "Me neither *ou* Neither have I *ou* Nor have I."
  « Je ne suis jamais allé en Écosse. – Moi non plus. »

- "We don't go out much." "Neither do our parents *ou* Nor do our parents."
  « Nous ne sortons pas beaucoup. – Nos parents non plus. »

  NOTEZ BIEN
  Neither se prononce /ˈnaɪðə/ ou /ˈniːðə/.

RÉPONSES BRÈVES

➤ À une question appelant une réponse par « oui » ou « non », on peut répondre simplement *Yes* ou *No*.
Souvent, on préfère répondre par *Yes/No* + **sujet** + **auxiliaire** (le même dans la réponse que dans la question).

- "**Is** she home?" "Yes, she **is**."
  « Elle est à la maison ? – Oui. »

- "**Did** you enjoy the show?" "No, I **didn't**."
  « Tu as aimé le spectacle ? – Non. »

➤ Autres réponses brèves

- "Is she home?" "I think so."
  « Elle est à la maison ? – Oui, je crois. »

- "Would you like to stay with us?"
  « Tu voudrais rester avec nous ? »
  "(Yes,) I'd love to./I'd be glad to."
  « J'aimerais beaucoup./Cela me ferait plaisir. »

- "Would you like to stay with us?"
  « Tu voudrais rester avec nous ? »
  "(No,) I'm not allowed to./I'd prefer not to."
  « Je n'ai pas le droit./Je préfère pas. »

  NOTEZ BIEN
  On dit *If you want* ou *If you want to*, mais *If you like* (**sans** *to*).

(42) Verbes + infinitif

VERBES + INFINITIF SANS *TO*

➥ *Let* et *help*

- Let me do it.
  Laisse-moi faire.

- Can you help me (to) carry my bag?
  Pouvez-vous m'aider à porter mon sac?

➥ *Make sb do sth*

- You make me work hard and you make the whole group work hard.
  Vous me faites travailler dur et vous faites travailler dur tout le groupe.

▸ FAIRE + VERBE, P. 130

➥ Les verbes de perception *feel* (ressentir), *hear* (entendre), *listen* (écouter), *notice* (remarquer), *see* (voir), *watch* (regarder, observer) sont suivis soit de l'**infinitif sans** *to*, soit de V-*ing*.

Avec l'infinitif sans *to*, l'action est vue de façon globale.

- I saw him enter the bank.
  Je l'ai vu entrer dans la banque.
  [*He entered the bank.*]

Avec V-*ing*, on parle d'une action en cours de déroulement.

- I heard her **closing** the safe.
  Je l'ai entendue fermer le coffre-fort.
  [*She was closing the safe.*]

VERBES + INFINITIF AVEC *TO*

➥ Certains verbes sont suivis de *to* + verbe. Assez souvent, *to* + **verbe** exprime une intention, un but : on dit que quelque chose est encore **à réaliser**.

Principaux verbes concernés

agree : être d'accord	learn : apprendre
choose : choisir de	manage : réussir à
consent : consentir à	plan : avoir l'intention de
decide : décider de	refuse : refuser de
fail : omettre de	swear : jurer de
hope : espérer	want : vouloir

Certains verbes peuvent être suivis d'un <u>complément</u> + *to* + verbe.

- I want to go.
  Je veux partir.
- He wants <u>them</u> to go.
  Il veut qu'ils partent. [*He wants that...* est impossible.]

Principaux verbes concernés

ask : demander	offer : proposer
arrange to do sth : s'arranger pour faire qqch.	prefer : préférer
expect : s'attendre à	promise : promettre
help : aider	propose : proposer
intend : avoir l'intention de	wait : attendre
mean : vouloir que	want : vouloir
	wish : souhaiter

Certains verbes **exigent** un <u>complément</u> avant *to* + verbe.

- She persuaded <u>him</u> to read the letter.
  Elle l'a persuadé de lire la lettre.

Principaux verbes concernés

advise : conseiller	order : ordonner
allow : autoriser	persuade : persuader
compel : contraindre	recommend : recommander
force : forcer	teach : enseigner
invite : inviter	tell : dire
oblige : obliger à	warn : prévenir

43 Verbes + *to* ou + V-*ing*

VERBES SUIVIS DE *TO* + VERBE OU DE V-*ING*

Certains verbes sont suivis soit de ***to* + verbe**, soit de **V-*ing***.

- It started **to rain** *ou* It started **raining**.
  Il s'est mis à pleuvoir.

Principaux verbes concernés

begin, start : commencer	like, love : aimer
can't bear : ne pas supporter	prefer : préférer
continue : continuer	regret : regretter
hate : détester	try : essayer
intend : avoir l'intention de	

- I like to dance *ou* I like dancing.
  J'aime danser.

NOTEZ BIEN
***Would** like*, ***would** love* et ***would** hate* sont toujours suivis de *to* + verbe.
I would like to dance. [*I would like ~~dancing~~.*]
J'aimerais danser.

VERBES SUIVIS DE V-*ING*

Certains verbes sont suivis de V-*ing*. Avec cette structure, on parle d'une expérience **déjà** vécue, d'une action **déjà** commencée ou d'un projet **déjà** envisagé.

Verbes qui expriment une expérience déjà vécue

acknowledge : reconnaître	dislike : ne pas aimer
admit : admettre	enjoy : prendre plaisir à
appreciate : apprécier	hate : détester
be worth : valoir la peine	it's no use : il est inutile de
can't help : ne pas pouvoir, s'empêcher de	spend time : passer du temps
deny : nier, refuser	tolerate : tolérer

- I miss go**ing** to the cinema but I can't stand liv**ing** in a city.

  Je regrette de ne plus aller au cinéma mais je ne supporte pas de vivre dans une ville.

Verbes qui expriment une action déjà commencée

finish : finir	keep (on) : ne pas arrêter de, continuer à
give up : cesser de, abandonner	
go on : continuer	stop : arrêter

- You keep making the same mistake.

  Tu continues à faire la même erreur.

- I gave up smoking long ago.

  Ça fait longtemps que j'ai arrêté de fumer.

Verbes qui expriment du déjà envisagé

avoid : éviter	mind : voir une objection à
consider : envisager	prevent : empêcher
contemplate : songer à	risk : risquer
imagine : imaginer	suggest : suggérer
involve : impliquer	

Notez aussi *stop sb (from)* **doing** *sth* (empêcher qqn de faire qqch.).

- I stopped him (from) talking nonsense.

  Je l'ai empêché de dire des bêtises.

NOTEZ BIEN

On utilise *go* + **V-*ing*** pour décrire des activités (surtout sportives) : *go climbing* (faire de la montagne), *go cycling* (faire du vélo), *go shopping* (faire des courses).

(44) Autres emplois de V-*ing*

PRÉPOSITIONS + V-*ING*

Si on veut utiliser un verbe après une **préposition**, il apparaît à la forme V-*ing*, y compris après *to*.

- I feel **like** learn**ing** new languages.
  J'ai envie d'apprendre de nouvelles langues.

- We look forward **to** see**ing** you soon.
  Nous nous réjouissons de vous voir bientôt.

Principaux verbes suivis de *to* + V-*ing*

be used **to doing sth** : être habitué à faire qqch.	object **to doing sth** : ne pas vouloir faire qqch.
get round **to doing sth** : arriver à faire qqch.	take **to doing sth** : se mettre à faire qqch.

DÉTERMINANTS + V-*ING*

V-*ing* peut être précédé de *the*, de *this/that*, d'un possessif (*my*, *your*, *his*...) ou d'un génitif (*John's*).

- **The** building **of** the house took years.
  La construction de la maison a pris des années.

- **My** suggest**ing** it troubled them.
  Le fait que je le suggère les a troublés.

PROPOSITIONS INTRODUITES PAR V-*ING*

Elles peuvent exprimer la **cause** ou la **simultanéité**.

- Having eaten more than usual, I felt sick.
  Comme j'avais mangé plus que d'habitude, j'avais mal au cœur.

- She was sitting at the window, brushing her hair.
  Elle était assise à la fenêtre et se brossait les cheveux.

V-*ing* sujet : dans ce cas, on a souvent **proposition** en V-*ing* + *is* + adjectif.

- <u>Driving in the dark</u> <u>is</u> sometimes dangerous.
  [sujet]   [verbe]

  Conduire la nuit est parfois dangereux.

EMPLOI DES PRONOMS RELATIFS

Le pronom *who* renvoie à une **personne** (ou à un animal domestique). On emploie *that* ou *which* dans les autres cas.

- The woman who was here is my lawyer.
  La femme qui était là est mon avocate.

- The car that *ou* which is parked over there is mine.
  La voiture qui est garée là-bas est à moi.

  NOTEZ BIEN
  On rencontre de plus en plus *that* à la place de *who* :
  the woman that...

Quand le pronom relatif est **complément**, il est très souvent sous-entendu.

- The guy (who *ou* that) I married is John. [*who* ou *that* : complément du verbe *married*]
  Le type que j'ai épousé est John.

Quand il y a une préposition, elle se place généralement **à la fin de la relative.** Le pronom relatif est très souvent sous-entendu.

- The guy (who *ou* that) I was talking **to** is John.
  Le type à qui je parlais est John.

- I'll show you the college (that *ou* which) I studied **in**.
  Je vais te montrer l'université dans laquelle j'ai étudié.

WHAT OU WHICH ?

« Ce qui / ce que » se traduit le plus souvent par *what*.

- You're telling me what everybody knows.
  Tu me racontes ce que tout le monde sait.

- What I want is to be left alone.
  Ce que je veux, c'est qu'on me laisse tranquille.

▸ CE QUI, CE QUE P. 111-112

Quand « ce qui / ce que » commente une proposition qui précède, il se traduit par **which obligatoirement précédé d'une virgule.**

- The plane was empty, which puzzled me.
  L'avion était vide, ce qui m'a rendu perplexe.

NOTEZ BIEN
« Tout ce qui / que » se traduit par *all (that)* ou *everything (that)* + relative. Attention : on ne trouve jamais ~~all what~~ !

All I want is to be your friend.
Tout ce que je veux, c'est être votre ami.

WHOSE

Whose (dont) est un pronom relatif au génitif.
On l'emploie entre deux noms.

the man whose wife is here : l'homme dont la femme est là
the play whose name I forgot : la pièce dont j'ai oublié le nom

NOTEZ BIEN
« Dont » ne se traduit pas toujours par *whose* (voir p. 121).

CONJONCTIONS DE TEMPS

when : quand	as soon as : dès que
after : après que	since : depuis que
before : avant que	until : jusqu'à ce que
as : alors que, comme	while : pendant que
as long as : tant que	

Quand ces conjonctions introduisent une subordonnée
à valeur de futur, elles sont **suivies du présent** et non de *will*.
En français, on emploie un futur dans ce cas.

Correspondances entre l'anglais et le français

WHEN + PRÉSENT	« QUAND... + FUTUR »
Call us when/as soon as you **are** there.	Appelle-nous quand/dès que tu y **seras**.
WHEN... + PRESENT PERFECT	« QUAND... + FUTUR ANTÉRIEUR »
Send me a text when you**'ve arrived**.	Envoie-moi un SMS quand tu **seras arrivé**.

CONJONCTIONS DE CONDITION

if : si	in case : au cas où
as long as : à condition que	provided (that) : à condition que
unless : à moins que	supposing : imagine que

Le fonctionnement des verbes est comparable en anglais et
en français après *if* et « si ».

IF + PRÉSENT : C'EST ENCORE RÉALISABLE
We won't go **if** it **rains**. Nous n'irons pas s'il pleut.

IF + PRÉTÉRIT : C'EST PEU PROBABLE
I would do it **if** they **asked** me. Je le ferais s'ils me le demandaient.

IF + PAST PERFECT : ÇA NE S'EST PAS RÉALISÉ DANS LE PASSÉ
If you **had told** me I would have done something about it. Si tu m'avais prévenu, j'aurais fait quelque chose.

CONJONCTIONS DE BUT

to + verbe : **pour**	so (that) + proposition : **pour que**
in order to, so as to + verbe : **afin de**	in order that + proposition : **afin que** [formel]

- I'll do it **to** please you.
  Je le ferai pour te faire plaisir.

CONJONCTIONS DE CAUSE

because : **parce que, car**	insofar as : **dans la mesure où**
as : **comme**	since : **puisque**
given that, inasmuch as : **étant donné que**	for [à l'écrit] : **car**

- As it was late, I went into a hotel.
  Comme il était tard, je suis allé à l'hôtel.

CONJONCTIONS DE CONSÉQUENCE

so : **aussi, de sorte que**	such + nom... that : **tellement... que**
so + adjectif + that : **si... que**	

La structure la plus fréquente est **so + adjectif + that.**

- I was so tired (that) I went to sleep on the train.
  J'étais si fatigué que je me suis endormi dans le train.

CONJONCTIONS DE CONTRASTE

though, although : **bien que**	even if, even though : **même si**
while : **tandis que**	whether... or not : **que... ou non**
whereas : **alors que**	

- Even though he is rich, I don't find him attractive.
  Bien qu'il soit riche, je ne le trouve pas attirant.

- Whether they come or not, I'll have to cook.
  Qu'ils viennent ou non, il faudra que je cuisine.

CONJONCTIONS DE MANIÈRE

| as, like : comme | as if, as though + prétérit :
comme si + imparfait |

- As *ou* Like I said…
  Comme je l'ai dit… [*like* plus oral]

THAT

On traduit souvent «verbe + que» par **verbe + *that***.
That est donc comparable à la conjonction «que»,
mais il est **souvent sous-entendu**.

- I think (that) she's right.
  Je pense qu'elle a raison.

It is + **adjectif** + *that* : dans ce cas, *that* n'est pas
sous-entendu.

- It's strange that they (should) still like me.
  Il est bizarre qu'ils m'aiment encore.

NOTEZ BIEN
Avec *want*, il est impossible de calquer la structure française.
I want you to leave. [~~I want that you leave.~~]
Je veux que tu partes.

▸ QUE P. 147-148

AND, OR, BUT

And, *or* et *but* s'emploient comme «et, ou, mais» en français.
Notez toutefois qu'il est possible de ne pas répéter
les articles, les prépositions et les pronoms après *and* et *or*.

| a chair and stool :
une chaise et un tabouret | in America and Japan :
en Amérique et au Japon |

Les verbes *come*, *go*, *try* et *wait* peuvent être suivis
de ***and*** + verbe à la place de *to* + verbe.

- Try and relax.
  Essaie de te détendre.
- Come and have some tea.
  Venez prendre le thé.

(47) Le discours direct et indirect

MARQUES DU DISCOURS INDIRECT

DISCOURS DIRECT

Lorraine said: "Tristan looks tired." [deux-points après *said* ; guillemets]

DISCOURS INDIRECT

Lorraine said (that) Tristan looked tired.
[pas de deux-points ; pas de guillemets]

➤ On trouve d'autres verbes introducteurs que *say*, notamment : *admit* (admettre), *advise* (conseiller), *answer* (répondre), *ask* (demander), *forbid* (interdire), *inquire* (se renseigner), *point out* (signaler), *state* (déclarer), *tell* (dire), *wonder* (se demander).

NOTEZ BIEN

That est souvent sous-entendu au discours indirect.

▸ DIRE P. 120.

TEMPS DE LA SUBORDONNÉE

➤ Si le verbe introducteur est au passé, le temps du verbe de la subordonnée change. Le fonctionnement des temps est comparable en anglais et en français.

DISCOURS DIRECT	
présent	(She said:) "I **am** in London."
prétérit	(Sue said:) "Tony **called** his father."
present perfect	(Lila said:) "I**'ve seen** it."
will	(Ryan said:) "I**'ll** do it."
impératif	(He said:) "**Don't listen**."

DISCOURS INDIRECT	
prétérit	She said (that) she **was** in London.
past perfect	Sue said (that) Tony **had called** his father. [had + participe passé]
past perfect	Lila said (that) she **had seen it**.
would	Ryan said (that) he **would** do it.
to + verbe	He told me not to listen.

🔹 Si les propos rapportés s'appliquent encore au moment où on parle, on préfère ne pas changer le temps de la subordonnée.

- Ryan said this morning he will do it next week.
  Ryan a dit ce matin qu'il le ferait *ou* fera la semaine prochaine.

AUTRES MODIFICATIONS

🔹 Passage de la première à la troisième personne

I	→	he/she	we	→	they
me	→	him/her	us	→	them
my	→	his/her	our	→	their
mine	→	his/hers	ours	→	theirs
myself	→	himself/herself	ourselves	→	themselves

🔹 Changement de marqueurs temporels

DISCOURS DIRECT	DISCOURS INDIRECT
now	then
yesterday	the day before
last week/month/year	the week/month/year before
next week/month/year	the following week/month/year

INTERROGATION INDIRECTE

INTERROGATION DIRECTE	INTERROGATION INDIRECTE
Are you English?	She asked me if I was English.
Do you like it?	She asked me if I liked it.
[ordre auxiliaire + sujet]	[ordre sujet + auxiliaire]

🔹 L'interrogation **indirecte** suit l'ordre de la phrase affirmative : **sujet + auxiliaire**. On n'emploie pas *do/did*. Il n'y a pas de point d'interrogation.

🔹 *Whether* peut s'employer à la place de *if* dans une interrogation indirecte, notamment avant *or not*.

- I wonder whether *ou* if she has arrived or not.
  Je me demande si elle est arrivée ou non.

NOTEZ BIEN
Attention à l'ordre des mots quand l'interrogation indirecte commence par un mot en *wh-* (voir p. 84).

I inquired where her mother was. [sujet + verbe]
J'ai demandé où était sa mère. [verbe + sujet]

Du français à l'anglais :

trouver le mot juste

Abréviations utilisées
sb : somebody
sth : something
qqn : quelqu'un
qqch. : quelque chose
V : verbe

À (LIEU)

à + lieu géographique précis → *in*

- Elvis Presley a vécu à Memphis, **aux** États-Unis.
  Elvis Presley lived **in** Memphis, **in** the United States.

à + lieu d'activités collectives/point précis → *at*

- Ils se sont rencontrés à l'université.
  They met **at** university.

- Je t'attendrai à l'arrêt du bus.
  I'll wait for you **at** the bus stop.

à + localisation horizontale → *on*

- Assieds-toi à ma gauche.
  Sit **on** my left, will you?

à + lieu où l'on va → *to*

- Il va à la piscine le lundi.
  He goes **to** the swimming pool on Mondays.

À (TEMPS)

à + heure/nom de fête → *at*

- Les cours commencent à huit heures.
  Classes start **at** eight.

- Je ne sais pas où il sera à Noël.
  I don't know where he will be **at** Christmas.

à + saison/siècle → *in*

- Est-ce que cet arbre perd ses feuilles à l'automne?
  Does this tree shed its leaves **in** autumn?

- Shakespeare est né au XVIᵉ siècle.
  Shakespeare was born **in** the sixteenth century.

NOTEZ BIEN

à la radio : **on** the radio
à la télévision : **on** television
à pied : **on** foot

ACCORD (ÊTRE D'ACCORD)

▬ « avoir le même avis » → *agree with sb/agree that*
+ proposition

- Elle est toujours **d'accord avec** lui.
  She always **agrees with** him.

- Je ne suis pas **d'accord avec** eux.
  I **do not (don't) agree with** them.

- Ils **sont** tous d'accord pour dire **que** ça a été un échec.
  They all **agree that** it was a failure.

NOTEZ BIEN
On ne dit surtout pas ~~I am agree~~.

▬ « accepter » → *agree to sth*

- A-t-il été d'accord avec ta proposition?
  Did he **agree to** your proposal?

ALLER

▬ aller (mouvement) → *go to*

- Il **va** souvent **aux** États-Unis.
  He often **goes to** the United States.

- Je **suis allée en** Alaska il y a dix ans.
  I **went to** Alaska ten years ago.

NOTEZ BIEN
Have / has been implique que l'on est rentré, *have/has gone*
implique que l'on n'est pas revenu.
Où es-tu allé?
Where have you been?
« Où est-il? – Il est allé à la poste. »
"Where is he?" "He has gone to the post office."

▬ aller + activité → *go + V-ing*

- J'aimerais **aller faire des courses** avec elle.
  I'd like to **go shopping** with her.

▸ VERBES + V-*ING* P. 91

- **aller (avenir proche)** → *be going to / be about to / will* + verbe

  - Tu **vas** encore être en retard.
    You**'re going to** be late again.

  ► **Parler de l'avenir p. 27**

ARRIVER

- **arriver à + ville / pays** → *arrive in*

  - Ils arriveront à New York demain.
    They will arrive **in** New York tomorrow.

- **arriver à + autre lieu** → *arrive at*

  - Ils arriveront à l'aéroport Kennedy.
    They will arrive **at** JFK airport.

- **« se produire »** → *happen*

  - Il **est arrivé** quelque chose de bizarre hier.
    Something strange **happened** yesterday.

- **arriver à qqn** → *happen to sb*

  - Ça peut **arriver** à n'importe qui.
    It can **happen** to anyone.

- **« réussir à »** → *can* + verbe / *manage to* + verbe / *succeed in* + V-*ing*

  - Elle n'**arrive** pas encore à s'habiller seule.
    She **can't** dress herself yet.

  - J'**arriverai** à ne pas être à découvert à la fin du mois.
    I'll **manage to** stay in the black at the end of the month.

  - **Arrivera**-t-on à trouver un médicament contre le cancer ?
    Will they **succeed in** find**ing** a cure against cancer ?

ASSEZ

➤ **«suffisamment»** → *enough*

- L'eau n'est pas **assez** chaude.
  The water is not warm **enough**.

- Il parlait **assez** fort pour que je l'entende.
  He spoke loud **enough** for me to hear him.

NOTEZ BIEN
Enough se place **après** l'adjectif, l'adverbe, le verbe.

➤ **«plutôt»** → *quite / rather / pretty* (familier)

- Ce livre est **assez** intéressant.
  This book is **quite** interesting.

- Elle m'a raconté une histoire **assez** incroyable.
  She has told me **quite** an incredible story.
  [Remarquez la structure *quite + a (an)* ou ∅ + nom]

- On s'est levés **assez** tôt, alors on est plutôt fatigués.
  We got up **pretty** early, so we are rather tired. [familier]

- C'est une idée **assez** bête.
  It's a **rather** stupid idea.

NOTEZ BIEN
En américain, *quite* signifie «tout à fait».

➤ **«relativement»** → *fairly*

- Vos résultats sont **assez** bons mais ils pourraient être meilleurs.
  Your results are **fairly** good but they could be better.

- Elle chante **assez** bien mais ce n'est pas une professionnelle.
  She sings **fairly** well but she is no professional.

➤ **assez de + nom** → *enough + nom*

- Est-ce qu'on a **assez** de temps pour passer au bureau ?
  Do we have **enough** time to call at the office ?

➤ **en avoir assez de** → *have / had enough of*

- J'en ai **assez** de leurs revendications !
  I've had **enough** of their demands!

ATTENDRE, S'ATTENDRE À

- **attendre qqn/qqch.** → *wait for sb/sth*
  - Tu m'as **attendu** combien de temps?
    How long did you **wait for** me?
  - J'**attends** sa réponse.
    I **am waiting for** his answer.

- **attendre qqn/qqch. de prévu** → *expect sb/sth*
  - Elle **attend** un bébé pour le 8 décembre.
    She'**s expecting** a baby for December 8th.
  - Je n'**attendais** pas un tel cadeau de sa part.
    I did not **expect** such a lovely present from him.

- **attendre que qqn fasse qqch.** → *wait for sb to do sth*
  - Ils ont **attendu que** Jimmy parte.
    They **waited for** Jimmy **to** leave.

- **s'attendre à ce que** → *expect sb to + verbe*
  - Tout le monde **s'attend à ce que** Mark revienne.
    Everybody **expects Mark to** come back.
    ▸ **Verbes + infinitif avec** *to* **p. 88**

AUCUN

- **aucun(e) + nom** → *not any/no + nom*
  - Je **n'**ai pris (absolument) **aucune** photo.
    I did**n't** take **any** photos (at all). (I took **no** photos).

- **aucun (de + nom/pronom)** → *none (of)*
  - « Y a-t-il un message? – **Aucun**. »
    "Is there a message?" "**None**."
  - **Aucun** de ces régimes ne lui convient.
    None of these diets suit him.

- **sans aucun(e) + nom** → *without any + nom*
  - Tu as fait ça **sans aucune** aide?
    Did you do it **without any** help?
    ▸ *No, none, not... any* **p. 64**

AUTANT

➠ «**tellement**» (quantité) → *so much*

- Je ne pensais pas qu'il m'aimait **autant**.
  I didn't think he loved me **so much**.

➠ «**tellement**» (nombre) → *so many*

- Il a pris beaucoup de photos. Je ne pensais pas qu'il
  en prendrait **autant**.
  He has taken lots of pictures. I didn't think he would
  take **so many**.

➠ en + verbe + autant → *the same, as much*

- Essaie d'en faire **autant**.
  Try to do **the same**. (Try to do **as much**.)

AUTANT DE

➠ **autant de** → *so much, such* + sg/*so many, such a lot of* + pl.

- Je ne m'attendais pas à ce qu'il montre **autant de**
  courage.
  I did not expect him to show **so much** (**such**)
  courage.

- Pourquoi as-tu acheté **autant de** livres ?
  Why did you buy **so many** (**such a lot of**) books ?

➠ **autant de... que** → *as much* + sg + *as*/*as many* + pl. + *as*

- Prends **autant de** temps **que** tu veux.
  Take **as much** time **as** you like.

- Est-ce qu'il y avait **autant de** gens **qu'**hier au stade ?
  Were there **as many** people at the stadium **as**
  yesterday ?

NOTEZ BIEN
À la forme négative, on emploie aussi *not **so** much/many as*.
Elle n'a **pas** autant d'argent de poche.
She **hasn't** got **so much** pocket money.
Elle n'achète **pas** autant de DVD **que** son frère.
She does **not** buy **so many** DVDs **as** her brother.

▸ **BEAUCOUP DE P. 110**

« différent » → other

- Le chroniqueur du *Times* a fait l'éloge de ce concert, **d'autres** critiques l'ont démoli.
  The *Times* columnist praised this concert, **other** critics tore it to pieces.
  [*Other* est ici adjectif et donc invariable.]

- Pourquoi est-ce que tu n'essaies pas **un autre** jour?
  Why don't you try **another** day?
  [Deux mots en français, un seul en anglais.]

« en plus » → more

- On voudrait deux **autres** express, s'il vous plaît.
  We'd like two **more** espressos, please.

autre chose/autre part → something, anything else/somewhere else

- Est-ce que je peux faire **autre chose** pour t'aider?
  Can I do **anything else** to help you?

- Je voudrais aller **autre part**.
  I'd like to go **somewhere else**.

pas d'autre(s) → no other

- Il n'y a **pas d'autre** chemin pour y aller.
  There is **no other** way to get there.

- Je n'avais **pas d'autres** chaussures à mettre.
  I had **no other** shoes to wear.

AUTRE (PRONOM)

un autre/l'autre/les autres → another (one)/the other (one)/the others

- Ce parapluie est cassé, prends-en **un autre**.
  This umbrella is broken, take **another (one)**.

- Un de ses fils vit aux États-Unis, **l'autre** vit en France.
  One of his sons lives in the United States, **the other** (one) lives in France.

- Ces gâteaux sont faits maison, j'ai acheté **les autres** au supermarché.
These cakes are home-made, I bought **the others** at the supermarket.

d'autres → *others*

- Certains étudiants écoutaient, **d'autres** discutaient.
Some students were listening, **others** were chatting.

les autres en général → *other people*

- Il croit toujours que ce sont **les autres** qui ont tort.
He always thinks **other** people are wrong.

l'un... l'autre/les uns... les autres → *each other/one another*

- Mes deux chats ont peur l'**un de l'autre**.
My two cats are afraid of **each other**.

quelqu'un/personne d'autre (que) → *someone/nobody else (but)*

- Demande à **quelqu'un d'autre**.
Ask **someone else**.

- **Personne d'autre que** lui n'a le code d'accès.
Nobody else but him has the entry code.

rien d'autre (que) → *not anything/nothing (else) (but)*

- Tu n'as rien d'**autre** à faire **que** de regarder la télévision?
Do**n't** you have **anything** (else) to do **but** watch TV?

- Je n'ai rien acheté d'autre que du fromage.
I've bought **nothing** (else) **but** cheese. ▸ ANY P. 66

BEAUCOUP

« une grande quantité » → *very much, a great deal, a lot*

- Merci **beaucoup** d'être venu.
Thank you **very much** for coming.

- Il voyage **beaucoup**.
He travels **a great deal** *ou* **a lot**.

> « un grand nombre de personnes » → *many*

- **Beaucoup** pensaient qu'il était mort.
  Many thought he was dead.

BEAUCOUP DE

> *much* + sg / *many* + pl. / *a lot of, lots of* + sg ou pl.

- Est-ce qu'il passe **beaucoup** de temps à faire la cuisine ?
  Does he spend **much** time cooking ?

- Il n'y a pas eu **beaucoup** de visiteurs étrangers.
  There were not **many** foreign visitors.

- **Beaucoup de** gens pensent qu'il a raison.
  Lots of people think he is right.

> *a great deal / a great amount of* + sg

- Il dépense **beaucoup** d'argent à acheter des livres.
  He spends **a great amount of** money on books.

> *a great number / a large number of* + pl.

- **Beaucoup de** téléspectateurs ont été déçus par la nouvelle émission.
  A large number of viewers were disappointed by the new programme.   ▸ *A LOT OF, MUCH, MANY* P. 65

C' (C'EST)

> simple pronom de rappel → Ø

- Regarder la télévision tout le dimanche, **c'**est abrutissant.
  Watching TV all Sunday Ø is mind-numbing.

NOTEZ BIEN
Quand on peut supprimer « c' » dans « c'est », on **ne** le traduit **pas**.

▰ **reprise d'un nom de personne → *he/she***

- C'était la plus jolie fille qu'il ait jamais rencontrée.
  She was the most attractive girl he had ever met.

NOTEZ BIEN
Surtout **ne pas** employer *it*.

▰ **reprise dans une réponse brève → nom/pronom + auxiliaire**

- Qui a gagné le concours ? C'est Larry. / C'est lui.
  Who won the contest? **Larry did. / He did**.

▰ **en référence à une situation → *it***

- C'est encore loin ?
  Is **it** still a long way?
- C'est l'heure de partir.
  It's time to go now.

▰ **annonce ce qui suit → *it***

- C'est difficile de se garer dans cette rue.
  It's difficult to park in this street.

▰ **reprise d'un segment qui précède → le plus souvent *it***

- Tu continues à fumer. C'est irritant.
  You keep smoking. **It** is annoying.

NOTEZ BIEN
L'emploi de ***this*** ou ***that*** implique une insistance sur ce à quoi
on renvoie.
Je ne voulais pas le blesser, c'est pourquoi je lui ai menti.
I didn't want to hurt his feelings. **That's** why I lied to him.
▸ *THIS ET THAT* P. 62

CE QUE

▰ **la/les chose(s) que → *what***

- Je ne crois pas **ce qu**'il dit.
  I don't believe **what** he says.
- **Ce que** je veux, c'est qu'on me laisse tranquille.
  What I want is to be left alone.

- **tout ce que (globalement)** → *all Ø*
  - **Tout ce que** je sais, c'est qu'il est parti à 5 heures.
    All I know is that he left at 5.

- **tout ce que (individuellement)** → *everything Ø*
  - Elle approuve **tout ce qu'**il dit.
    She agrees with **everything** he says.

- **pour reprendre toute une proposition** → *, which*
  - Il m'a envoyé une gerbe de roses, **ce que** j'ai beaucoup apprécié.
    He sent me a bunch of roses, **which** I enjoyed a great deal.

    ▸ PROPOSITIONS RELATIVES P. 93

CE QUI

- **la (les) chose(s) qui** → *what*
  - **Ce qui** me plaît le plus chez elle, c'est qu'elle est toujours de bonne humeur.
    What I like most about her is that she's always good-humoured.

- **tout ce qui (globalement)** → *all that*
  - **Tout ce qui** brille n'est pas d'or.
    All that glitters is not gold.

- **tout ce qui (individuellement)** → *everything that*
  - **Tout ce qui** s'est passé doit rester secret.
    Everything that happened must remain secret.

- **pour reprendre toute une proposition** → *, which*
  - Il a dit qu'il n'avait pas d'argent, **ce qui** est faux.
    He said he had no money, **which** is wrong.

    ▸ PROPOSITIONS RELATIVES P. 93

CHAQUE

➤ **si chaque élément est important → *each* + sg**

- **Chaque** minute qui passe nous rapproche du but.
  With **each** minute, we are drawing closer
  to the goal.

➤ **pour exprimer la fréquence ou la totalité → *every* + sg**

- Je le vois **chaque** semaine.
  I see him **every** week. ▸ *EACH ET EVERY P. 68*

CHEZ

➤ **chez + lieu où l'on est → *at***

- Il est **chez** son amie.
  He is **at** his girlfriend's (house/flat/place).
- Je suis restée deux jours **chez** lui.
  I spent two days **at** his place.

NOTEZ BIEN
(rester) **chez** soi : **at home**
être **chez** soi : **be (at) home**
Il aime rester **chez** lui.
He likes staying **at home**.
Faites comme **chez** vous.
Make yourself **at home**.

➤ **chez + lieu où l'on va → *to***

- J'allais **chez** le dentiste quand je l'ai rencontré.
  I was going **to** the dentist's (surgery) when
  I met him.
- J'irai **chez** les Martin en voiture.
  I'll drive **to** the Martins' (house/flat/place).

NOTEZ BIEN
(aller, rentrer) **chez** soi : Ø **home**
Nous sommes rentrés **chez** nous à deux heures du matin.
We went back **home** at two o'clock in the morning.
Si tu n'es pas content, rentre **chez** toi.
If you're not pleased, go **home**.

chez + lieu d'où l'on vient → *from*

- Ça m'a pris trois heures d'aller **de chez** Terry à l'aéroport.
  It took me three hours to go **from** Terry's (place) to the airport.

> **NOTEZ BIEN**
> (venir, être loin) **de chez** soi : **from home**
> Je me sens loin **de chez moi**.
> I feel a long way **from home**.

▸ **PRÉPOSITIONS DE LIEU P. 47**

COMBIEN ?

caractéristique → *how* + adjectif

- **Combien** pèse ce chargement?
  How heavy is this load?
- **Combien** y a-t-il entre New York et Los Angeles?
  How far is it from New York to L.A.?
- **Combien** mesure le plus haut gratte-ciel du monde?
  How tall is the world's tallest skyscraper?
- Tu as attendu **combien** de temps?
  How long did you wait?

quantité → *how much* + sg

- **Combien** (d'argent) as-tu dépensé?
  How much (money) did you spend?
- Je me demande **combien** de lait il faut dans cette recette.
  I wonder **how much** milk is needed for this recipe.
- Tu as besoin de **combien** de temps encore?
  How much more time do you need?

nombre → *how many* + pl.

- **Combien** de cartouches d'encre doit-on acheter?
  How many ink cartridges should we buy?
- **Combien** de fois faut-il que je le répète?
  How many times shall I have to repeat it?

⟩ **fréquence → *how often***

- **Tous les combien** vas-tu la voir ?
  How often do you visit her ?

DANS (LIEU)

⟩ **lieu/situation où l'on se trouve → *in/inside***

- Elle vit **dans** une petite maison, **dans** un petit village du Yorkshire.
  She lives **in** a cottage, **in** a small Yorkshire village.
- Ils sont dans **une** situation catastrophique.
  They are **in** dire straights.
- Le chèque était **dans** une enveloppe adressée à Brian.
  The cheque was **inside** an envelope addressed to Brian. [*inside* = idée de fermeture]

⟩ **« vers » → *to/into***

- Va **dans** la salle de bains pour te laver les mains.
  Go **to** the bathroom to wash your hands.
- Je l'ai vu se précipiter **dans** le pub.
  I saw him rush **into** the pub.
  [*into* = idée de mouvement vers l'intérieur d'un lieu]

DANS (TEMPS)

⟩ **dans + moment à venir → *in***

- Je le recevrai **dans** deux heures.
  I'll see him **in** two hours.
- Elle devrait être ici **dans** quelques minutes.
  She should be here **in** a few minutes.

⟩ **dans + période de temps → *in, during***

- Cette chanson était très à la mode **dans** les années 60.
  This song was all the rage **in (during)** the 60s.

⟩ **dans + délai → *within***

- Tu devrais recevoir les résultats **dans** les 24 heures.
  You should get the results **within** 24 hours.

DE, DE LA, DU, DES

une certaine quantité/un certain nombre → *some* (phrases affirmatives et parfois interrogatives)

- Il faut que je retire **de** l'argent avant de partir.
  I must withdraw **some** money before leaving.

- Tu veux **des** frites ?
  Would you like **some** chips ?

une certaine quantité/un certain nombre → *any* (phrases interrogatives)

- Vous avez **des** questions ?
  Do you have **any** questions ?
  [pluriel obligatoire avec un nom dénombrable : ~~Do you have any question?~~]

  ▸ *SOME* ET *ANY* P. 66

NOTEZ BIEN
Quand « de/de la/du/des » **ne** signifie **pas** « une certaine quantité/un certain nombre », on n'emploie pas *some*.
Je mange **des** pommes tous les jours.
I eat apples every day.
J'ai oublié d'acheter **de la** lessive.
I've forgotten to buy washing powder.

pas de → *no/not... any* + nom

- Ils n'ont **pas de** point de vente à New York.
  They have **no** retail outlet in New York.

- Je n'ai **pas d**'avis (pas le moindre avis) sur cette question.
  I do **not** have **any** opinions on the matter.

DEPUIS (QUE)

depuis + lieu → *from*

- Ce concert sera retransmis en direct **depuis** Londres.
  This concert will be broadcast live **from** London.

depuis... jusqu'à → *from... to*

- Ils vendent des livres **depuis** deux **jusqu'à** 500 euros.
  They sell books **from** two **to** 500 euros.

depuis + date/moment → *since*

- Je ne l'ai pas vue **depuis** le 6 mai/l'été dernier.
  I have not seen her **since** May 6th/last summer.

depuis + durée de l'action → *for*

- Le photocopieur est en panne **depuis** une semaine.
  The photocopier has been out of order **for** a week.

- Elle travaillait dans cette entreprise depuis dix ans
  lorsqu'elle a décidé de changer de cap.
  She had been working for this firm **for** ten years
  when she decided to change course.
  [imparfait + depuis → past perfect]

depuis que → *since*

- Il est grognon **depuis qu'**il est sorti du lit.
  He has been grumpy **since** he **got** out of bed.
  [*since* + verbe au prétérit : action terminée]

- Elle se sent beaucoup mieux **depuis qu'**elle vit
  à la campagne.
  She has felt far better **since** she **has been living**
  in the country. [*since* + verbe au present perfect : action inachevée]

  ▸ *FOR* ET *SINCE* P. 22

DEPUIS COMBIEN DE TEMPS ?

- **Depuis combien de temps** est-il à l'hôpital?
  How long has he **been** in hospital?
  [verbe au present perfect]

- **Depuis combien de temps** vivait-il en Chine lorsqu'il
  a émigré?
  How long had he **been** in China when he decided
  to emigrate?
  [verbe au past perfect]

NOTEZ BIEN
On trouve aussi *how long is it since* + verbe d'action
au **prétérit**.
Depuis combien de temps Kennedy est-il mort?
How long is it since J.F. Kennedy **died**?

▸ *HOW LONG* P. 22

DEVANT

dans l'espace → *in front (of sb/sth)*

- La voiture de **devant** a brûlé le feu rouge.
  The car **in front** has gone through the red light.

- Je n'ai rien vu parce qu'il était assis **devant** moi.
  I could not see anything because he was sitting **in front of** me.

NOTEZ BIEN
«Devant» au sens de «à l'extérieur de» se dit *outside*.
La voiture est **devant** la maison.
The car is **outside** the house.

«à l'avant (de)» → *in/at the front (of)*

- J'entendais bien, j'avais une place **devant**.
  I could hear very well, I had a seat **at the front**.

- Va t'asseoir **devant** (à l'avant de la voiture).
  Go and sit **in the front** (**of the car**).

avec idée de déplacement → *past*

- Je passe en voiture **devant** chez lui tous les jours.
  I drive **past** his house every day.

«en tête» → *ahead (of sb/sth)*

- Elle est **devant** dans les sondages.
  She is **ahead** in the polls.

- Nous sommes loin **devant** nos concurrents.
  We are far **ahead of** our competitors.

DEVOIR

«avoir une dette» → *owe*

- Combien est-ce que je vous **dois**?
  How much do I **owe** you?

« avoir pour cause» → *be due to*

- Notre retard **est dû** aux grèves.
  Our being late **is due to** the strikes.

▰ **pour exprimer un conseil → *should/ought to/had better* + verbe**

- Tu **devrais** aller voir cette pièce, c'est génial.
  You **should** go and see this play, it's great.

- Il est trop fatigué, il **ne devrait pas** conduire.
  He **ought not to** drive.

- Votre rendez-vous est à onze heures, vous **devriez** (**feriez mieux de**) partir maintenant.
  Your appointment is at eleven, **you'd** (**had**) **better go** now.
  ▸ *SHOULD ET OUGHT TO* P. 38
  ▸ *HAD BETTER* P. 40

▰ **pour exprimer une interdiction → *must not* + verbe**

- On **ne doit pas** se garer à cet endroit.
  You **mustn't** park here.

▰ **pour exprimer une obligation → *must* + verbe, *have to* + verbe**

- Vous **devez** attacher votre ceinture.
  You **must/have to** buckle up.
  ▸ *MUST ET HAVE TO* P. 37

▰ **pour exprimer une forte certitude → *must/should/ought to* + verbe**

- On **doit** être en train de survoler l'Écosse.
  We **must** be flying over Scotland.

- Ne t'inquiète pas, tout **devrait** bien se passer.
  Don't worry, everything **should** be all right.
  ▸ *SHOULD ET OUGHT TO* P. 38
  ▸ *MUST* P. 36

▰ **« c'est prévu », « c'est fatal » → *be to* + verbe**

- Je ne peux pas le voir demain, je **dois** assister au conseil d'administration.
  I can't see him tomorrow, I **am to** sit at the board of administrators.

- Il est né à Salzburg en 1756 et **devait** mourir à Vienne à l'âge de 35 ans.
  He was born in Salzburg in 1756 and **was to** die in Vienna aged 35.

DIRE

«prononcer des paroles» (l'interlocuteur n'est pas mentionné) → *say*

- «Asseyez-vous, je vous en prie», **dit**-elle.
  "Do sit down," she **said**.
- Ils ont **dit** que ça pouvait attendre.
  They **said** it could wait.

dire à qqn → *say to sb*

- Alors, Fred **dit** à Mary : «Tu peux toujours essayer.»
  Then, Fred **said to** Mary: "You can always try."

dire à qqn que → *tell sb (that)/say to sb (that)*

- Il lui a **dit** que ça valait la peine d'y aller.
  He **told** her (that) it was worth going. [plus fréquent]
  He **said to** her (that) it was worth going.

dire à qqn de (ne pas) → *tell sb (not) to*

- Le médecin lui a **dit** de rester au lit trois jours.
  The doctor **has told him** to have total bed rest
  for three days.
- **Dis-lui de ne pas** venir à l'improviste la prochaine fois.
  Tell her not to drop in unexpectedly next time.

▸ DISCOURS DIRECT ET INDIRECT P. 98

dire (expressions)

dire bonjour/au revoir/merci say hello/goodbye/thank you	dire la vérité/des mensonges/ un secret
dire quelque chose/n'importe quoi/quelques mots	tell the truth/lies/a secret
say something/anything/a few words	dire l'heure/dire une plaisanterie tell the time/tell a joke

- C'est difficile à **dire**.
  It's hard to **tell**.

DIRE (ON DIT)

▸ **on m'a dit que →** *I was told (that)/they told me (that)*

- On **m'avait dit** que ce serait long.
  I **was told** (that) it would be long.

- On vous **dira** sans doute qu'il n'est jamais trop tard.
  They will certainly **tell** you (that) it's never too late.

▸ PASSIF P. 25

▸ **à ce qu'on dit... →** *they/people say that*

- À ce qu'on dit, il mène une vie trépidante.
  They (**People**) **say** that he is in the fast lane.

▸ **on dit/disait de qqn que →** *sb is/was said to*

- On **disait d'eux** qu'ils étaient les meilleurs.
  They were said to be the best.

▸ **on dirait du... →** *be/look/sound/taste/feel like* + nom

- On **dirait** du velours.
  It feels (**looks**) **like** velvet.

- On **aurait dit** un rêve.
  It **was like** a dream.

DONT

▸ **complément d'un verbe ou d'un adjectif**
  → *Ø/that/which/whom*

- As-tu rencontré l'homme **dont** je t'ai parlé?
  [parler **de →** *tell* **about**]
  Have you met the man (**whom**) I told you **about**?

- C'est une erreur **dont** ils ne sont pas responsables.
  [responsable **de →** *responsible* **for**]
  It's a mistake (**which/that**) they are not responsible
  for.

NOTEZ BIEN
Le choix de la préposition dépend du verbe ou de l'adjectif.

▸ PROPOSITIONS RELATIVES P. 93

lien entre deux noms → nom + *whose* **+ Ø + nom**

- Est-ce que tu connais la personne **dont** la voiture est garée à ma place ?
  Do you know the person **whose** Ø car is parked on my parking space ?

- L'Australie est un pays **dont** les gastronomes connaissent les vins.
  Australia is a country **whose** Ø wines are known by gourmets.

pour désigner une partie d'un groupe de personnes → *of whom*

- Mary a trois filles **dont deux** vivent au Guatemala.
  Mary has three daughters, **two of whom** live in Guatemala.

- J'ai guidé des touristes **dont certains** étaient Japonais.
  I have guided tourists, **some of whom** were Japanese.

pour désigner une partie d'un ensemble inanimé → *of which*

- J'ai des livres anciens **dont trois** ont été publiés avant 1700.
  I've got ancient books, **three of which** were published before 1700.

EN + NOM

en + localisation dans l'espace ou le temps → *in/into/within*

- L'ornithorynque vit **en** Australie.
  Platypuses live **in** Australia.

- L'Eurostar **en** provenance de Londres entre **en** gare.
  The Eurostar from London is coming **into** the station. [*into* = « à l'intérieur de »]

- Tu peux faire ça **en** deux jours ?
  Can you do this **within two** days ?
  [*within* = « dans un délai de »]

▰ **en + matière → mot composé**

- Cette monture **en titane** est très légère.
  This **titanium frame** is very light.

▰ **en + moyen → *by***

- Il aime voyager **en** train.
  He likes travelling **by** train.

▸ À P. 102
▸ Dans P. 115

EN + PARTICIPE PRÉSENT

▰ **pour exprimer le moyen → *by* + V-*ing***

- Vous apprendrez beaucoup **en** lisant.
  You'll learn a lot **by** read**ing**.

▰ **pour exprimer la manière → Ø + V-*ing***

- Il est entré dans mon bureau **en** hurlant.
  He came into my office **screaming**.

> **NOTEZ BIEN**
> Avec les verbes de mouvement, la manière est très souvent
> rendue par un verbe suivi d'une particule.
>
> Ne descends pas l'escalier en courant!
> Don't **run down** the stairs!

▸ Verbes + particule P. 43

▰ **«quand» → *when* + V-*ing***

- Il s'est brûlé la main **en** sortant le plat du four.
  He burnt his hand **when** tak**ing** the dish out
  of the oven.

▰ **«pendant que» → *while* + V-*ing***

- Tu peux écouter de la musique **en** travaillant¿
  Can you listen to music **while** work**ing**¿

▸ Pendant P. 143

▰ **pour désigner une quantité, un nombre non précisés
→ some/not... any**

- J'adore les cerises. Tu m'**en** donnes ?
  I love cherries. Would you give me **some** ?

- « Je voudrais du riz complet. – Désolé, nous **n'en** avons pas. »
  "I'd like brown rice, please." "Sorry, we have**n't** got **any**."

▸ *SOME ET ANY DANS LES QUESTIONS P. 66*

▰ **pour désigner un nombre précis → Ø + nombre
(+ of + pronom)**

- « Combien de réponses ? – J'**en** ai eu cinquante. »
  "How many answers ?" "I got **fifty**."

- Il y **en** a trois qui n'écoutent pas.
  Three of you (them) are not listening.

▰ **complément d'un verbe → préposition + adverbe/pronom**

- J'**en** viens.
  I've just come **from there**.

- On **en** reparlera plus tard.
  We'll talk **about it** later.

▸ *VERBES + PRÉPOSITION P. 42*

▰ **complément d'un adjectif → préposition + pronom**

- Sa fille est née hier ; il **en** est très fier.
  His daughter was born yesterday; he is very proud **of her**.

- « Que pensez-vous de nos ventes ? – J'**en** suis très satisfaite. »
  "What do you think of our sales?" "I'm very satisfied **with them**."

NOTEZ BIEN
Le choix de la préposition dépend du verbe ou de l'adjectif.

▸ *ADJECTIFS + PRÉPOSITION P. 79*

ENCORE (TEMPS)

➡ **«toujours»** (action qui se prolonge) → *still*

- Est-ce qu'il vit **encore** chez ses parents ?
  Does he **still** live with his parents?

➡ **« pas encore »/« toujours pas »** → *not... yet/still... not*

- «Il a donné signe de vie ? – Non. **Pas encore.**»
  "Has he given sign of life?" "No, **not yet.**"

- Elle n'est **pas encore** arrivée.
  She has **not** arrived **yet**.

- Je vois bien que tu n'as pas **encore** (toujours pas) compris.
  I can see you **still** have **not** understood.
  [*still not* = nuance d'exaspération, comme «toujours pas»]

➡ **« de nouveau »** (répétition) → *again/once more*

- J'ai **encore** eu une contravention ce matin.
  I got a ticket **again** this morning.

- Vous êtes **encore** en retard.
  You're late, **once more**.
  [littéralement = « une fois de plus »]

ENCORE (QUANTITÉ)

➡ **«davantage»** (approximation) → *quantifieur + more (+ nom)*

- Tu en veux **encore** ?
  Do you want some **more**?

- Il me faut **encore** quelques minutes.
  I need a few **more** minutes.

➡ **«de plus»** (nombre précis) → *another*

- Il nous faut **encore** dix chaises.
  We need **another** ten chairs.

- Il reste **encore** sept kilomètres.
  We have **another** seven kilometres to go.

- Tu veux **encore** quelque chose ?
  Do you want anything **else** ?

NOTEZ BIEN
Cette tournure est employée dans les phrases interrogatives
essentiellement.

ENNUYER, S'ENNUYER

🔲 « préoccuper » → *worry*

- Il n'est pas **encore** rentré. Ça **m'ennuie**.
  He is not back yet. It **worries me**.
- Le fait qu'elle parte à l'étranger **ennuie** ses parents.
  Her parents are **worried** about her going abroad.

🔲 « déranger » → *bother*

- Si ça ne **t'ennuie** pas trop, tu peux me montrer
  comment ça marche ?
  If it doesn't **bother** you too much, can you show me
  how it works ?

🔲 « harceler » → *pester*

- Jimmy, arrête **d'ennuyer** ta sœur !
  Jimmy, stop **pestering** your sister !

🔲 « interrompre » → *disturb*

- Désolé de vous **ennuyer** maintenant mais j'ai besoin
  d'utiliser votre ordinateur.
  Sorry to **disturb** you now, but I need to use your
  computer.

🔲 « gêner » → *sb minds sth/minds + V-ing/minds if*

- Le froid ne **m'ennuie** pas, en fait j'aime plutôt ça.
  I don't **mind** the cold, in fact, I quite like it.
- Ça **t'ennuie** si j'ouvre la fenêtre ?
  Do you **mind** my opening the window (if I open
  the window) ?

➡ s'ennuyer → *be/get bored*

- Je ne **m'ennuie** jamais quand je suis à la campagne.
  I am never **bored** when I am in the country.
- Ça l'**ennuie** de faire la cuisine tous les jours.
  He gets **bored with** cooking every day.

NOTEZ BIEN

ennuyeux : boring (adjectif)
J'ai trouvé ce film **ennuyeux**.
I found this film **boring**.

ENTRER / MONTER DANS

➡ entrer dans → *enter sth, go into, get into/come into sth*

- Vous ne devez pas **entrer dans** son bureau sans frapper.
  You must not **enter** his office without knocking.
- Vous ne devez pas **entrer dans** mon bureau sans frapper.
  You must not **go (get) into** my office without knocking. [Celui qui parle est à l'extérieur.]
  You must not **come into** my office without knocking. [Celui qui parle est à l'intérieur.]

NOTEZ BIEN
Ne jamais dire *enter in*.

➡ monter dans (train, voiture, autobus) → *get into*

- Il est **monté dans** la voiture et a démarré en trombe.
  He **got into** the car and roared off.

ÊTRE + PARTICIPE PASSÉ

➡ voix passive → *be* + participe passé

- Deux cents personnes **sont employées** par cette société.
  Two hundred people **are employed** by this company.

▸ PASSIF P. 25

**passé composé de certains verbes → *have* + participe passé
ou prétérit**

- Il n'est **pas** encore **arrivé**.
  He **has** not **arrived** yet.

- Il **est tombé** dans l'escalier.
  He **fell** down the stairs.

- Je **suis** souvent **allé** aux États-Unis.
  I **have** often **been** to the United States.

- Je **suis allé** aux États-Unis l'année dernière.
  I **went** to the United States last year.

  ▸ ALLER P. 103

- Est-ce qu'il **est revenu** d'Irlande⸮
  Has he **come** back from Ireland⸮

- Il **est revenu** hier du Japon.
  He **came** back from Japan yesterday.

  ▸ PRÉTÉRIT P. 18
  ▸ PRESENT PERFECT P. 20

ÊTRE PARTI

« être absent » (état) → *be gone*

- Tu ne pourras pas la voir : elle **est partie**.
  You won't be able to see her: she **is gone**.

« être parti » (action) → *have (has) left, have (has) gone/
left, went away*

- « Où est-elle⸮ –Elle **est partie** se coucher. »
  "Where is she⸮" "She **has gone** to bed."

- Ils **sont partis** sans laisser d'adresse.
  They **left** (went away) without leaving an address.

- Elle **est partie** il y a deux jours (depuis deux jours).
  She **left** two days ago.

FAIRE

▰ idée d'activité/d'effet → *do*

- Que fais-tu ce soir?
  What are you **doing** tonight?

- Il faudrait faire quelque chose pour l'aider.
  We should **do** something to help him.

- Une semaine de vacances te fera du bien.
  A week's holiday will **do** you good.

▸ *DO* P. 12

▰ faire → *do*

faire de son mieux **do** one's best	faire son devoir **do** one's duty	faire du bien/du mal **do** good/harm
faire la cuisine **do** the cooking	faire les courses **do** the shopping	faire des affaires **do** business
faire la vaisselle **do** the dishes	faire du sport **do** sport	faire une faveur **do** a favour

▰ idée de production/de construction → *make*

- Cette société fait seulement des produits haut de gamme.
  This company **makes** only top-of-the-range products.

- J'ai bien peur que tu aies fait une erreur.
  I'm afraid you've **made** a mistake.

▰ faire → *make*

faire un effort **make** an effort	faire des progrès **make** progress	faire de l'argent **make** money
faire un lit **make** a bed	faire du bruit **make** a noise	faire des histoires **make** a fuss
faire un voyage **make** a journey	faire du thé **make** some tea	faire la paix **make** peace

make sb do sth
- Il ne me **fait** plus rire.
  He no longer **makes** me **laugh**.
- Cela te **fera** changer d'avis.
  This will **make** you **change** your mind.

be made to + verbe
- On les **faisait** travailler comme des esclaves.
  They **were made to work** like slaves.

have sb do sth
- Il m'a **fait faire** la vaisselle avant de partir.
  He **had** me **do** the dishes before leaving.
  [Avec *have*, la pression est moins forte qu'avec *make*.]

get sb to do sth
- Je n'ai jamais pu lui **faire ranger** ses affaires.
  I have never been able to **get** him **to put** his things away. [*Get* exprime l'idée qu'on essaie d'obtenir quelque chose.]

autres équivalents de «faire + verbe»

faire attendre qqn	faire savoir qqch.
keep sb waiting	à qqn
faire cuire qqch.	let sb know sth
cook sth	faire entrer/sortir qqn
faire démarrer	let sb in/out
start	faire venir qqn
	call *ou* get sb in/
	call *ou* send for sb

▸ *DO* ET *MAKE* P. 13

have sth + participe passé
- Il faut que je **fasse vérifier** les freins.
  I must **have** the brakes **checked**.
- Il est en train de **faire construire** une piscine.
  He is **having** a swimming pool **built**.

get sth + participe passé

- Elle a **fait réaménager** son bureau et c'est beaucoup moins bien qu'avant.
  She's **got** her office **refurbished** and it's not nearly as nice as it was.

- Quand vas-tu **faire réparer** le toit?
  When are you going to **get** the roof **repaired**?
  [Avec *get*, on insiste sur le résultat de l'action.]

FALLOIR (IL FAUT, FAUDRAIT + NOM)

il faut qqch. → *sth is/was... needed*

- Est-ce **qu'il faut** un visa?
  Is a visa **needed**?

- **Il faudra** quelqu'un pour réparer l'ordinateur.
  Somebody **will be needed** to repair the computer.

il me/te... faut (avoir besoin de) → *sb needs sth*

- **Il te faut** encore combien de temps?
  How much more time **do you need**?

- C'était tout **qu'il lui fallait**.
  That was all **she needed**.

- **Il leur faudrait** un appartement plus grand.
  They'd need a larger flat.

FALLOIR (IL FAUT, FAUDRAIT QUE)

il faut (que) → *sb must/have (got) to* + verbe

- **Il faut** rentrer avant minuit.
  We/You must be back by midnight.

- **Il faut** qu'ils se lèvent à six heures.
  They have to get up at six.

- **Il ne faut pas que** vous l'appeliez maintenant.
  You must not call him now.

- À quelle heure **faut-il** que nous soyons à l'aéroport?
  What time shall we **have to** be at the airport?
  ▸ *MUST ET HAVE TO* P. 36

- **il faudrait (que)** → *sb should* + verbe
  - Il faudrait que tu te bouges un peu.
    You should get moving.
  - Tu crois **qu'il faudrait** l'appeler?
    Do you think we **should** call him?

- **il ne faudrait pas (que)** → *must not* + verbe
  - Il ne faudrait pas que le GPS tombe en panne.
    The GPS **must not** break down.

  NOTEZ BIEN
  Il ne s'agit pas d'un conseil mais d'une possibilité négative.

  ▸ *MUST* P. 36

- **il fallait, il aurait fallu (que)** → *sb should have* + participe passé
  - Il fallait que (Il aurait fallu que) tu partes plus tôt.
    You **should have left** earlier.
  - Est-ce qu'il aurait fallu lui en dire un mot?
    Should we **have** mentioned it to him?

AVOIR L'HABITUDE DE, S'HABITUER À

- **avoir l'habitude de qqch.** → *be used to sth*
  - Je n'ai pas l'habitude de ce logiciel.
    I **am not used to** this piece of software.
  - Est-ce que tu as l'habitude des longs voyages en avion?
    Are you **used** to long flights?

- **avoir l'habitude de + verbe** → *be used to* + V-*ing*
  - Il a l'habitude d'arriver en avance.
    He **is used to** arriving early.
  - Elles n'ont pas l'habitude de conduire à gauche.
    They **are not used to** driving on the left.

  NOTEZ BIEN
  Au passé, on préfère *would* à *was/were used to*.
  Maman avait l'habitude de me réveiller en jouant du piano.
  Mum **would** wake me up by playing the piano.

  ▸ *WOULD* ET *USED TO* P. 40

▬ **s'habituer à → *get used to* + nom/V-*ing***

- Je **m'habitue** à leur rythme de travail.
  I **am getting used to** their working pace.

- Penses-tu que tu vas **t'habituer** à vivre seule ?
  Do you think you**'ll get used to** liv**ing** on your own ?

IL Y A + NOM

▬ **pour poser l'existence de → *there is (are/was/were...)* sb/sth**

- Il y a des embouteillages entre 7 heures et 9 heures.
  There are traffic jams between 7 and 9.

- Il doit **y avoir** des glaçons dans le congélateur.
  There must **be** ice cubes in the freezer.

NOTEZ BIEN
Be s'accorde avec le nom qui suit.

▬ **pour marquer la distance → *it is... from... to***

- Il y a cinq kilomètres d'ici à Édimbourg.
  It is five kilometres **from** here **to** Edinburgh.

▬ **pour donner un repère dans le passé (comme une date)**
  → durée + *ago*

- Il y a un mois, j'étais à Londres.
  A month **ago**, I was in London.

- Il est tombé malade il y a quinze jours.
  He fell ill two weeks **ago**.

NOTEZ BIEN
Avec *ago*, on emploie le prétérit, jamais le *present perfect*.

IL Y A... QUE

▬ **pour donner un repère dans le passé (comme une date)**
  → durée + *ago*

- Il y a trois heures **qu'**il est parti.
  He left three hours **ago**.

- Il **y a** dix ans **qu**'il est mort.
  He died ten years **ago**.

NOTEZ BIEN
Question correspondante : *How long ago...?*

Il y a combien de temps qu'il est arrivé ?
How long ago did he arrive ?

pour marquer la durée d'une action → *for* + durée

- Il **y a** trente ans **qu**'il se sert d'un ordinateur.
  He has been using a computer **for** thirty years.

NOTEZ BIEN
Question correspondante : *How long...?*

Il y a combien de temps que tu attends ?
How long have you been waiting ?

► *FOR* ET *SINCE* P. 22

JAMAIS

« à aucun moment » → *never (again)*

- C'est le moment ou **jamais**.
  It's now or **never**.
- Ce distributeur de café **ne** marche **jamais**.
  That coffee dispenser **never** works.
- Tu **ne** le verras **jamais** plus.
  You'll **never** see him again.

NOTEZ BIEN
Si un mot négatif apparaît dans la phrase (*no one, nobody, hardly*), on emploie *ever* et non *never*.

Il ne se passe jamais rien.
Nothing **ever** happens.

Personne ne m'a jamais donné de réponse.
No one has **ever** given me an answer.

Ils ne se plaignent presque jamais.
They hardly **ever** complain.

« à un moment quelconque » → *ever*

- Si **jamais** il rappelle, dis-lui que je ne pourrai pas venir.
  If he **ever** calls again, tell me I won't be able
  to come.

- As-tu **jamais** (déjà) sauté en parachute?
  Have you **ever** made a parachute jump?

➡ « jusqu'à présent » → *ever*

- C'est le meilleur ténor que j'aie **jamais** entendu.
  He is the best tenor I have **ever** heard.

LAISSER (QQN / QQCH.)

➡ **laisser qqch. à qqn** → *leave sb sth/sth to sb*

- Je pense que j'ai **laissé** mon parapluie dans le bus.
  I think I've **left** my umbrella on the bus.

- Il **laissa** toute sa fortune à son fils.
  He **left** his son his whole fortune.
  (He **left** his whole fortune to his son.)

➡ **laisser qqch./qqn + adjectif** → *leave sb/sth + adjectif*

- **Laisse**-moi tranquille!
  Leave me **alone**!

- Ne **laisse** pas la fenêtre **ouverte** en partant.
  Don't **leave** the window **open** when you leave.

LAISSER + VERBE

➡ **laisser qqch./qqn en train de** → *leave sb/sth + V-ing*

- Ne **laisse** pas le robinet **couler**.
  Don't **leave** the tap run**ning**.

➡ « permettre » → *allow sb to / let sb* + verbe

- Ils le **laissent regarder** la télévision comme il veut.
  They **let** him (**allow** him **to**) watch TV as he likes.

➡ **laisser + verbe de mouvement** → *let sb + particule*

- **Laissez**-moi passer.
  Let me **through**.

- Tu peux **laisser entrer** le chat.
  You can **let** the cat **in**.

MANQUER

« rater » → miss

- Tu l'as **manqué** de cinq minutes.
  You **missed** him by five minutes.

« sauter volontairement » (un repas, une réunion) → skip

- Il a **manqué** la réunion pour partir plus tôt.
  He **skipped** the meeting in order to leave earlier.

x manque à y → y misses x

- Tu me **manques**.
  I **miss** you.
- Nos longues promenades dans la campagne me **manquent**.
  I **miss** our long country walks.

MANQUER DE

manquer de + qualité → lack, be lacking in

- Il est intelligent mais il **manque** d'ambition.
  He is bright but he **lacks** ambition.
- Le centre de Chicago **manque** d'animation le week-end.
  Downtown Chicago **is lacking in** animation on weekends.

manquer de + notion concrète (idée de pénurie) → be short of

- Ce rapport est incomplet. Je dois dire que j'ai **manqué** de temps.
  This report is incomplete. I must say I **was short of** time.
- Il ne **manque** jamais d'argent à la fin du mois.
  He **is** never **short of** money at the end of the month.

MÊME

pour marquer une insistance (adverbe) → *even*

- Il n'a **même** pas dit bonjour.
  He didn't **even** say hello.

« précis » (adjectif) → *very*

- Ce motel est l'endroit **même** où il a été assassiné.
  This motel is the **very** spot where he was murdered.

moi-même/toi-même… → *myself/yourself…*

- Elle ne pourra pas venir, c'est **elle-même** qui me l'a dit.
  She won't be able to come, she told me so **herself**.

- Les spécialistes **eux-mêmes** ne sont pas d'accord.
  Specialists **themselves** do not agree.

- Est-ce qu'il a fait tout le travail **par lui-même** ?
  Did he do the whole job **by himself** ?

  ▸ **PRONOMS RÉFLÉCHIS P. 77**

même si → *even if, even though*

- Il faudra bien qu'ils parviennent à un accord **même si**
  l'idée leur déplaît.
  They will have to come to an agreement, **even if**
  they don't like the idea.

MIEUX

mieux (que) → *better (than)*

- Il se sent beaucoup **mieux** qu'hier.
  He feels far **better** than yesterday.

- Les choses vont de **mieux** en **mieux**.
  Things are getting **better** and **better**.

le mieux → *(the) best*

- Le **mieux** que tu puisses faire, c'est de revenir
  sur ta position.
  The best you can do is back down.

- Ils ont fait de **leur mieux** mais ils n'y sont pas arrivés.
  They did **their best** but they didn't make it.

d'autant mieux que → *all the better as/since/because*

- Il se sent **d'autant mieux que** l'affaire est bouclée.
  He feels **all the better since** the deal is settled.

MOINS

moins... que → *less... than*

- Nous gaspillons **moins que** dans les années 60.
  We waste **less than** in the sixties.

- Il a été **moins** catégorique **que** la dernière fois.
  He was **less** adamant **than** last time.

NOTEZ BIEN

L'anglais préfère cependant souvent utiliser le comparatif de supériorité.

C'est **moins difficile** que je ne pensais.
It's **easier** than I thought.

▸ COMPARATIFS P. 80

moins... que → *not as (so)... as*

- C'est **moins** facile **que** ça n'en a l'air.
  It's **not as (so)** easy **as** it looks.

moins de → *less + sg ou pl./fewer + pl.*

- On avait **moins de** temps libre autrefois.
  People used to have **less** spare time.

- **Moins de** gens partent en vacances à l'étranger.
  Fewer (Less) people go abroad for the holidays.

MORT

la mort → *death*

- La plupart des hommes ont peur de **la mort**.
  Most men fear **death**.

mort (adjectif) → *dead*

- Je ne savais pas qu'il était **mort**.
  I didn't know he was **dead**.

▬ **les morts, un mort → *the dead, a dead person (man/woman)***

- Parmi **les morts** se trouve un des pilotes.
  Among **the dead** is one of the pilots.

- **Le mort** n'avait pas fait de testament.
  The dead man had not made a will.

> **NOTEZ BIEN**
>
> Il y a (eu)... **morts**.../... a fait... **morts**...
> ... people **were killed (died)**...
>
> La catastrophe du World Trade Center **a fait** environ 3 000 **morts**.
> About 3,000 **people died (were killed)** in the World Trade Center
> tragedy.

▬ **être mort (passé composé de « mourir ») → *sb died* + date**

- Elle **est morte** il y a vingt ans.
  She **died** twenty years ago.

- **Quand** est-il **mort**?
  When **did** he **die**?

> **NOTEZ BIEN**
> Être mort depuis... : died + ago
>
> Il est **mort depuis** cinquante ans.
> He **died** fifty years **ago**.
>
> On peut aussi dire :
> **It is** fifty years **since** he **died**.
> (**He has been dead for** fifty years.)

NE... PAS

▬ **porte sur le verbe → auxiliaire/modal + *not* + verbe**

- Je ne l'ai pas encore contacté.
  I haven't (have not) contacted him yet.

- Tu ne dois pas t'inquiéter.
  You must not worry.

▬ **porte sur le nom → *no* + sg/pl.**

- Cette voiture n'a pas de climatisation.
  This car has no air conditioning.

- Il n'y a pas de bus le dimanche.
  There are no buses on Sundays.

▬ *nobody/nothing/nowhere*

- **Personne ne** m'a dit qu'il fallait arriver à 7 heures.
  Nobody told me I was supposed to be here at 7.

- Il n'a **rien** fait d'intéressant aujourd'hui.
  He **has done nothing** interesting today.

- Elle n'avait **nulle part** où aller.
  She **had nowhere** to go.

NOTEZ BIEN
Le verbe est à la forme **affirmative**.

▬ *not... anybody/anything/anywhere*

- **Ne** le dis à **personne**.
  Do**n't** tell **anybody**.
  [à qui que ce soit]

- Elle était sûre qu'elle **n'**avait **rien** vu.
  She was sure she had**n't** seen **anything**.
  [pas la moindre chose]

- J'ai cherché mes clefs partout. Je **ne** les ai trouvées
  nulle part.
  I looked for my keys everywhere. I did**n't** find them
  anywhere.
  [à aucun endroit possible]

NOTEZ BIEN
Le verbe est à la forme **négative**. Ces tournures sont moins
abruptes que les précédentes.

NE... PLUS

▬ **porte sur le verbe → *no longer/not any longer***

- Il **ne** regarde **plus** la télévision.
  He **no longer** watches TV.
  (He does**n't** watch TV **any longer**.)

NOTEZ BIEN
Le verbe est à la forme **affirmative** avec *no longer*, à la forme
négative avec *any longer*.

▸ *NOT ANY MORE, NO MORE* P. 64

porte sur le nom → *no more/not any more* + nom

- Je ne veux plus de vin, merci.
  I want **no more** wine, thank you.
  (I don't want **any more** wine.)

NOTEZ BIEN

No + nom + *left* met en relief le fait qu'il ne reste plus de...

Il n'y a plus de places pour le concert de jeudi.
There are **no** seats **left** for Thursday's concert.

NÉ (ÊTRE NÉ)

- L'homme est né libre.
  Man **is born** free.

- Quand est-il né?
  When **was** he **born?**

- Elle est née le 8 décembre 2003.
  She **was born on** December 8th 2003.

- L'Angleterre est le pays où le rugby est né.
  England is the country where the sport of rugby
  was born.

NOTEZ BIEN

« Être né » décrit le plus souvent une action que l'on peut
classer dans le passé à l'aide d'une date. *Be born* est donc
le plus souvent conjugué au prétérit.

ON

« aucune personne précise » → tournure passive

- On lui a demandé de partir tout de suite.
  He was asked to leave at once.

- On dit qu'elle travaille 15 heures par jour.
  She is said to work 15 hours a day.

**« personne dont l'identité est inconnue » → *somebody*
(*someone*)**

- On t'a appelé de Tokyo.
  Someone has called you from Tokyo.

- « les gens en général » → *one/people*

  - **On** n'est jamais trop prudent.
    One can never be too careful.
    [proverbe/expression très générale]

  - **On** dit qu'il va bientôt démissionner.
    People say he will resign soon.

- « ils » → *they*

  - Comment célèbre-t-**on** le nouvel an au Canada ?
    How do **they** celebrate New Year's Day in Canada ?

- « nous » → *we*

  - **On** ne va tout de même pas se fâcher !
    We are not going to quarrel, are we ?

PARLER

- « s'exprimer » → *speak*

  - Pouvez-vous **parler** plus lentement ?
    Can you **speak** more slowly ?

- « s'adresser à qqn » → *speak to sb*

  - Pourrais-je **parler** au directeur, s'il vous plaît ?
    Could I **speak** to the manager, please ?

- « échanger des paroles » → *talk (to)*

  - Je n'ai rien compris lorsqu'ils ont commencé à **parler**
    (en) chinois.
    I didn't understand a word when they started
    talking (**in**) Chinese.

PARLER DE

- « échanger des paroles à propos de » → *talk about*

  - Tout le monde **parle** de son dernier livre.
    Everybody **talks about** his latest book.

  - Il est tard, on en **parlera** demain.
    It's late, we**'ll talk about** it tomorrow.

➡ « informer de » → *tell about*

- **Parle**-moi **de** tes projets.
  Tell me **about** your plans.

- Il vaut mieux ne pas lui **en parler** maintenant.
  It's better not to **tell** him **about** it now.

➡ « avoir pour sujet » → *be about, deal with*

- De quoi **parle** cet article ?
  What **is** this article **about**?
  (What does this article **deal with**?)

PENDANT

➡ « au cours de » → *during*

- Un orage a éclaté **pendant** la nuit.
  A storm broke **during** the night.

➡ pendant + durée d'une action → *for*

- Je t'ai attendu **pendant** des heures.
  I waited for you **for** ages.

- Laissez la soupe mijoter **pendant** une heure.
  Allow the soup to simmer **for** an hour.

➡ pendant combien de temps ? → *how long?*

- **Pendant combien de temps** a-t-il vécu à Madrid ?
  How long did he live in Madrid?

➡ pendant que → *while*

- Son portable a sonné **pendant que** nous déjeunions.
  His cell phone rang **while** we were having lunch.

PERSONNE

➡ une personne → *a person* (*people* au pluriel)

- C'est **une personne** très sympathique.
  She is a very pleasant **person**.

- Plusieurs **personnes** m'ont dit qu'elle allait se marier.
  Several **people** told me that she was going to marry.

- **personne... ne/ne... personne → *nobody (no one)/ not... anybody (not... anyone)***

  - **Personne** n'est parfait.
    Nobody is perfect.
    [verbe à la forme affirmative]

  - Je n'ai rencontré **personne** que je connaisse.
    I have**n't** seen **anybody** (**anyone**) I know.
    [verbe à la forme négative]

- **sans personne → *without anybody (anyone)***

  - Il l'a fait **sans** l'aide de **personne**.
    He did it **without anybody**'s (**anyone**'s) help.

    ▸ COMPOSÉS EN *NO* P. 64

PEU

- **pour désigner une quantité faible → *little, not... much* + sg**

  - Il a **peu** de liberté.
    He has **little** free time.
    (He does**n't** have **much** free time.)

- **pour désigner un nombre faible → *few, not... many* + pl.**

  - **Peu** de gens veulent faire ce travail.
    Few (**Not many**) people want to do this job.

- **un peu de → *a little* + sg**

  - Il y a encore **un peu de** thé.
    There's **a little** tea left.

    ▸ *(A) LITTLE, (A) FEW* P. 65

- **un peu plus/moins → *a little* + comparatif**

  - J'ai besoin **d'un peu plus** de temps.
    I need **a little more** time.

  - Elle va **un peu mieux** que la semaine dernière.
    She's **a little better** than last week.

  - Il est **un peu moins** ambitieux que son frère.
    He is **a little less** ambitious than his brother.

PLUS (QUE / DE)

▬ **plus... que → -er... (than)/more... (than)**

- Je suis allée me coucher **plus** tôt que d'habitude.
  I went to bed earl**ier than** usual.

  ▸ COMPARATIFS P. 80

▬ **plus de... (que) → more + nom... (than)...**

- Il y a **plus** d'embouteillages qu'autrefois.
  There are **more** traffic jams **than** there used to be.

▬ **deux/trois fois plus que → twice/three times as... (as)**

- Elle gagne **deux fois plus** d'argent **que** lui.
  She earns **twice as** much money **as** him.

- Ça coûtera **cinq fois plus** cher si tu voyages en classe affaire.
  It will cost **five times as** much if you travel business class.

POUR (QUE)

▬ **pour + nom/pronom → for**

- Il part demain **pour** Pékin **pour** deux semaines.
  He is leaving **for** Beijing tomorrow **for** two weeks.

▬ **pour + verbe → to/in order to/so as to + verbe**

- Je mets de l'argent de côté **pour** aller au Canada.
  I am saving money to go **to** Canada.

- Il se leva très tôt **pour** ne pas rater son rendez-vous.
  He got up very early **not to** (**in order not to/so as not to**) miss his appointment.

▬ **pour que → for sb to + verbe, so that**

- Elle écrit tous les jours **pour que** ses parents ne s'inquiètent pas.
  She writes every day **for** her parents **not to** worry.
  (She writes every day **so that** her parents **will not** worry.)

- Parlez plus fort **pour que** tout le monde puisse vous entendre.
  Speak louder **so that** everybody can hear you.
- Hier, il m'a prêté sa voiture **pour que** je n'aie pas à aller à pied au bureau.
  Yesterday, he lent me his car **so that** I would not have to walk to the office.

▸ CONJONCTIONS DE BUT P. 96

POUVOIR

▬ pour exprimer une capacité → *can / could / be able to* + verbe

- C'est un très bon nageur : il **peut** faire trois longueurs en 1 minute 30.
  He is a very good swimmer: he **can** do three lengths in 1 minute 30.

▸ CAN, COULD, BE ABLE TO P. 33

▬ « se débrouiller pour » → *manage to*

- Il n'avait pas ses clefs mais il a **pu** rentrer.
  He did not have his keys but he **managed to** get in.

▬ pour exprimer un degré de probabilité → *may / might / could* + verbe

- Il **se peut** que j'aie tort.
  I **may** be wrong.
- Il **se pourrait** que ce soit une bonne solution.
  It **might** (**could**) be a good solution.

▸ MAY, MIGHT ET LE POSSIBLE P. 35

▬ pour demander/donner une permission → *may / be allowed to / can / could* + verbe

- « Puis-je **prendre** votre assiette ? – Oui, merci. »
  "**May** I take your plate?" "Yes, you can. Thank you."
- Ils ne **peuvent** pas veiller tard le soir.
  They are not **allowed to** sit up late.
- **Pourrais**-je vous emprunter votre appareil photo ?
  Do you think I **could** borrow your camera?

▸ MAY, BE ALLOWED TO ET COULD P. 35

QUAND

▰ **quand ? → *when?***

- **Quand** est-elle née?
  When was she born?

- Je me demande **quand** il se décidera.
  I wonder **when** he will make up his mind.
  [*When* interrogatif peut être suivi de *will*.]

▰ **«lorsque» → *when***

- On partira **quand** tu **voudras**.
  [quand + futur → *when* + présent]
  We'll go **when** you **want** to.

- Il a promis qu'il lui dirait **quand** il la **verrait**.
  [quand + conditionnel → *when* + prétérit]
  He promised that he would tell her **when** he **saw** her.

- Est-ce que tu pourrais m'emmener à la gare **quand** tu **auras fini**?
  [quand + futur antérieur → *when* + present perfect]
  Could you take me to the station **when** you **have finished**?

- Elle a dit qu'il pourrait la remplacer **quand** elle **aurait terminé**.
  [quand + conditionnel passé → *when* + past perfect]
  She said he could replace her **when** she **had finished**.

  ▸ Conjonctions de temps p. 95

QUE (DIRE, PENSER QUE)

▰ **après un verbe exprimant une opinion → *that*/Ø**

- Je pense **que** tu as raison.
  I think (**that**) you're right.

- Il a dit **qu'**il louerait une voiture.
  He said (**that**) he would rent a car.

- Ils ont répondu **qu'**ils étaient malades.
  They answered (**that**) they were sick.

- Il a suggéré **que** nous lui demandions son avis.
  He suggested (**that**) we should ask for his opinion.

  ▸ SUBORDONNÉES EN *THAT* P. 97

**après un verbe exprimant une volonté, une préférence
→ *sb/sth to* + verbe**

- Je veux **que** tu m'appelles dès que tu arriveras.
  I want **you to** call me as soon as you arrive.

- Il préfèrerait **que** son nom ne soit pas mentionné.
  He would prefer **his name not to** be mentioned.

  NOTEZ BIEN
  Not se place **avant** *to*.

  ▸ VERBES + INFINITIF AVEC *TO* P. 88

**trouver + adjectif + que → *believe (consider/think) it*
+ adjectif + *that* + verbe**

- Je trouve indispensable **qu'**ils révisent les plans.
  I consider **it** essential **that** they (**should**) revise
  the plans.

je pense/je crois... que oui/non → *I think so./I don't think so.*

- « Tu crois qu'il sera d'accord ? – Je pense **que**
  oui/non. »
  "Do you think he will agree?" "I think **so**./I don't
  think **so**."

QUE (PLUS, MOINS, AUSSI... QUE)

- C'est beaucoup plus cher **que** je ne pensais.
  It's far more expensive **than** I expected.

- Il y a eu moins d'accidents **que** l'année dernière.
  There have been fewer accidents **than** last year.

- Elle est aussi douée **que** son frère ?
  Is she as gifted **as** her brother?

- Le prix est le même **que** l'année dernière.
  The price is the same **as** last year.

  ▸ COMPARATIFS P. 80

QUE (RELATIF)

▰ **antécédent animé → *who/that/Ø/whom* (registre formel)**

- L'homme **qu'**elle aimait était célèbre.
  The man (**whom/that**) she loved was famous.

▰ **antécédent inanimé → *which, that, Ø***

- Le jouet **qu'**elle préfère est un élan en peluche.
  The toy (**which/that**) she likes best is a cuddly moose.

▰ **le seul que/le dernier que → *the only/the last (that)***

- La seule chose **que** je sais, c'est que tu me manques.
  The only thing (**that**) I know is that I miss you.

- La première fois **que** je l'ai vu, je l'ai trouvé bizarre.
  The first time (**that**) I saw him, I found him weird.

▸ **PROPOSITIONS RELATIVES P. 93**

QUEL(LE) ?

▰ **pour interroger sur l'identité → *who/what* + nom**

- **Quelle** est cette jeune femme ?
  Who is this young woman ?

- Je ne me rappelle pas **quel** acteur jouait Macbeth.
  I can't remember **what** actor played Macbeth.

▰ **pour interroger sur l'identité d'une chose → *what***

- **Quel** est le problème ?
  What's the problem ?

- **Quel** est son métier ?
  What is his job ?

▰ **pour proposer un choix → *which/what***

- De ces trois jeans, **quel** est le moins cher ?
  Which pair of jeans is the cheapest of the three ?
  [choix limité]

- **Quel** est ton musicien préféré ?
  What's your favourite musician ?
  [choix non limité]

- **pour interroger sur une caractéristique → *how* + adjectif**

  - Quelle est la **hauteur** de l'Empire State Building?
    How tall is the Empire State Building?

  - À **quelle distance** sommes-nous de York?
    How far is it to York?

- **dans quelle mesure → *how* + adjectif**

  - Je me demande **dans quelle mesure** il est sérieux.
    I wonder **how serious** he is.

  - Il ne savait pas **dans quelle mesure** c'était important.
    He didn't know **how important** it was.

QUEL(LE) !

- Quelle honte!
  What a shame!

- Quel soulagement!
  What a relief!

- Quel courage!
  What courage!
  [Pas d'article quand le nom est indénombrable.]   ▸ **EXCLAMATION P. 83**

QUELQU'UN / QUELQUE CHOSE DE

- **affirmation → *somebody (someone)/something* + adjectif**

  - Nous avons besoin de **quelqu'un d**'efficace pour résoudre ce problème.
    We need **somebody (someone) efficient** to solve this problem.

  - Il y a **quelque chose de** bizarre chez lui.
    There's **something odd** about him.

- **question → *anybody (anyone)/anything* + adjectif**

  - **Quelqu'un d**'important assistera-t-il à la réunion?
    Will **anyone important** attend the meeting?

  - Y a-t-il **quelque chose de** nouveau?
    Is there **anything new**?

  ▸ *SOME* ET *ANY* DANS LES QUESTIONS P. 66

QUELQUE(S)

➤ « une certaine quantité/un certain nombre » (affirmation)
→ *some* + nom

- Il me faudra **quelque** temps pour m'y habituer.
  I'll need **some** time to get used to it.

- Mrs Dalloway a acheté **quelques** fleurs.
  Mrs Dalloway has bought **some** flowers.

➤ « une certaine quantité/un certain nombre » (question)
→ *some/any* + nom

- Est-ce que tu veux manger **quelque** chose ?
  Would you like **some**thing to eat ?

- Est-ce que je peux faire **quelque** chose pour t'aider ?
  Can I do **any**thing to help you ?

  ▸ *SOME* ET *ANY* DANS LES QUESTIONS P. 66
  ▸ DE, DE LA, DU, DES P. 116

➤ « un petit nombre » → *a few* + pl.

- Il a changé de voiture il y a **quelques** jours.
  He changed his car **a few** days ago.   ▸ *(A) FEW* P. 65

QUI ?

➤ qui ? → *who?*

- Qui t'a dit ça ?
  Who told you that ?

- De qui parlais-tu ?
  Who were you talking about ?   ▸ INTERROGATION P. 84

➤ à qui est (appartient)... ? → *whose...?*

- À qui sont ces clés ?
  Whose keys are these ?
  [attention : *whose* + nom + *be*]

- À qui est (appartient) la voiture ?
  Whose car is it ?

QUI (RELATIF)

antécédent animé + qui → *who*

- Ceux **qui** n'étaient pas d'accord sont partis.
  Those **who** disagreed left.

antécédent inanimé + qui → *which, that*

- Est-ce que tu as lu le courriel **qui** vient d'arriver ?
  Have you read the mail **which** (**that**) has just come ?

préposition + qui → Ø + sujet + verbe + préposition

- Le délégué **pour qui** j'ai voté est très intègre.
  The representative I voted **for** is very upright.

- Les gens **avec qui** je travaille sont très compétents.
  The people I work **with** are very capable.

NOTEZ BIEN
Ordre : Ø + sujet + verbe (+ complément) + préposition.

▸ PROPOSITIONS RELATIVES P. 93

« quiconque » → *whoever*

- Donne ces livres à **qui** en veut.
  Give these books to **whoever** wants them.

RESTER

rester dans un lieu / dans un état → *stay, remain*

- Elle est **restée** à Chicago un an pour étudier.
  She **stayed** (**remained**) in Chicago for a year
  to study.

- Je suis **resté** éveillé jusqu'à trois heures du matin.
  I **stayed** (**remained**) awake till 3 o'clock in the
  morning.

« subsister » → *be left, remain*

- C'est tout ce qui **reste** de l'ancienne chapelle.
  This is all that **is left** (**remains**) of the ancient chapel.

il reste → *there is... left/I (you...) have... left*

- Il **reste** des places à l'arrière.
  There are some seats **left** at the back.

- Est-ce qu'**il reste** du café?
  Is there any coffee **left**?

- Il me **reste** très peu d'argent.
  I **have** very little money **left**.

il reste à + infinitif → *remain* + infinitif passif

- Il **reste** beaucoup à faire.
  Much **remains to be done**.

il me/te... reste à → *I (you...) still have to* + verbe

- Il te **reste** encore un courriel à envoyer.
  You still have (You've still got) one more mail
  to send.

SE + VERBE

pronom réfléchi → verbe + *myself, yourself...*

- Nous **nous** sommes bien amusés.
  We enjoyed **ourselves** a great deal.

NOTEZ BIEN
Certains verbes sont réfléchis en français mais pas en
anglais.

se concentrer	se préparer
concentrate	get ready
s'habiller	se détendre
dress	relax
se sentir (bien, mal…)	se souvenir
feel (good, ill…)	remember
s'ennuyer	se raser
get bored	shave
s'habiller	se réveiller
get dressed	wake up

«Je ne me sens pas bien. – Essaie de te détendre.»
"I don't **feel** well." "Try to **relax**."

Elle est arrivée à se préparer en cinq minutes.
She managed to **get ready** in five minutes.

se + verbe + partie du corps → verbe + déterminant possessif + nom

- Tu t'es lavé les mains?
  Did you wash **your** hands?

▸ Pronoms réfléchis p. 77

pronom réciproque → verbe + *each other/one another*

- Mes chats se haïssent et se lancent souvent des regards furieux.
  My cats hate **each other (one another)** and often look daggers **at each other (one another)**.

Notez bien
Certains verbes anglais incluent l'idée de réciprocité.

se battre	se quereller	s'embrasser
fight	quarrel	kiss
se marier	se rencontrer	se séparer
marry	meet	part...

▸ Pronoms réciproques p. 77

tournures impersonnelles

- Il se peut qu'il y arrive.
  He **may** succeed.
- Il se pourrait qu'elle le laisse tomber.
  She **might** dump him.
- Il se trouve que je le connais.
  I **happen** to know him.

SEUL(E)

non accompagné → *alone, on one's own, by oneself*

- Je n'aime pas voyager seul.
  I don't like travelling **alone (on my own, by myself)**.

Notez bien
Alone s'emploie seulement en position d'attribut.
Il y avait beaucoup d'hommes **seuls** en classe affaire.
There were many **men on their own (by themselves)** in business class.

● **qui éprouve un sentiment de solitude → *lonely, lonesome***

- Il avait peu d'amis dans cette ville et se sentait souvent **seul**.
  He had few friends in that city and often felt **lonely (lonesome)**.

● **« unique » → *only***

- La **seule** chose que je sais, c'est qu'il portait des bottes noires.
  The **only** thing I know is that he was wearing black boots.

● **« seul et unique » → *single***

- Je ne peux pas faire ça en un **seul** jour.
  I can't do this in a **single** day.

● **le seul qui existe, exclusif → *sole***

- Son cousin est le **seul** héritier.
  His cousin is the **sole** heir.
- C'est le **seul** distributeur pour le Brésil.
  They are the **sole** agent for Brazil.

SI + ADJECTIF, SI + NOM

● **si + adjectif/adverbe → *so***

- Elle chante **si** bien !
  She sings **so** well!

● **si + nom → *such a(n)***

- Je n'ai jamais lu un **si** bon livre.
  I have never read **such** a good book.

▶ **Exclamation p. 83**

SI + PROPOSITION

● **si (condition) → *if***

- Appelle-moi **si** tu rentres tard.
  Call me **if** you come back late.

▶ **Condition p. 95**

Si j'étais à ta place/À ta place… : *if I were you…, I would (not)* + verbe.

(Si j'étais) à ta place, je jouerais cartes sur table.
If I were you, I would lay my cards on the table.

si (interrogation indirecte) → *if, whether*

- Je me demande **si** quelqu'un se souvient de lui.
  I wonder **if** anyone remembers him.

- Il a demandé **si** je voulais prendre le train ou l'avion.
  He asked **whether** I wanted to go by train or by plane.
  [*Whether* est d'un style soutenu et implique souvent un choix entre deux propositions.]

si… que (conséquence) → *so… (that)*

- Il parlait **si** vite **que** personne ne le comprenait.
  He spoke **so** fast **that** nobody understood him.

si… que (concession) → *however* + adjectif/adverbe

- **Si** brillant **qu'**il soit, il trouvera ça difficile.
  However brilliant he is, he will find it difficult.

pas si (aussi)… que → *not as… as*

- Ce n'est **pas si** facile **que** ça en a l'air.
  It's not **as** easy **as** it looks.

ne… que si/sauf si/à moins que → *unless/except if*

- Tu **ne** peux conduire une moto **que si** tu portes un casque.
  You can't ride a motorbike **unless** you wear a helmet.

SI (ET SI… ?)

suggestion → *what about* + V-ing, *why* + interro-négation

- Et si on allait au bord de la mer pour changer?
  What about going (**Why don't we go**)
  to the seaside for a change?

- **interrogation → *what if***
  - Et s'il l'avait revue ? Tu crois qu'il serait tombé amoureux ?
    What if he had seen her again ? Do you think he'd have fallen in love ?

TANT / TELLEMENT (DE)... QUE

- **tant/tellement + verbe → verbe + *so much (that)***
  - Il a **tant** (**tellement**) insisté que je n'ai pas pu dire non.
    He insisted **so much that** I couldn't refuse.

- **tant/tellement de + nom → *so much* + sg/*so many* + pl. (*that*)**
  - Joan gagne **tellement** d'argent qu'elle peut bien en donner un peu.
    Joan earns **so much** money **that** she can give some away.
  - J'ai lu ce poème **tellement** de fois que je le connais par cœur.
    I've read this poem **so many** times that I know it by heart.

▸ *MUCH, MANY P. 65*

TOUS / TOUTES

- **en bloc → *all* (+ déterminant) + nom**
  - **Tous** mes amis aiment voyager.
    All my friends are fond of travelling.
  - La nuit, **tous** les chats sont gris.
    By night, **all** cats are grey.

  NOTEZ BIEN
  Tous/toutes + nombre : *all* + nombre + *of* + pronom objet.
  Nous nous sommes trompés **tous les trois**.
  All three of us were wrong.

● **en entier → *the* ou possessif + *whole* + sg**

- Elle a passé **toute** sa vie en Allemagne.
  She lived her **whole** life in Germany.
- **Tout** le bâtiment a été détruit.
  The **whole** building was destroyed.

● **chacun des éléments de l'ensemble → *every* + sg**

- Tu lui téléphones vraiment **tous** les jours？
  Do you really call him **every** day？

NOTEZ BIEN
Everyday écrit en un seul mot est un adjectif.
La vie de **tous** les jours est monotone.
Everyday life is dull.

● **« n'importe quel(le) » → *any* + sg**

- Ça peut arriver à **tout** moment.
  It can happen **any** time.

● **tous/toutes + fréquence → *every* + numéral + pl.**

- Ils livrent **tous les cinq jours**.
  They do the delivery **every five days**.

TOUT (PRONOM / ADVERBE)

● **tout le monde → *everybody (everyone)/all***

- Est-ce que **tout le monde** est prêt？
  Is **everybody (everyone)** ready？
- Ils sont **tous** d'accord avec elle.
  They **all** agree with her.
  [*all* = tout le monde d'une manière globale]

● **tout (choses) → *everything***

- **Tout** va bien pour l'instant.
  Everything is fine at the moment.
- **Tout** est bien qui finit bien.
  All's well that ends well.
  [*All* correspond à un registre soutenu ici.]

tout ce que/ce qui → *all/everything (that)*

- Dis-moi **tout ce que** tu sais.
  Tell me **all/everything** (that) you know.

  NOTEZ BIEN
  On ne dit jamais *all what*.

tout en + participe présent → *while + V-ing*

- Il lisait un journal **tout en** faisant la queue.
  He was reading a newspaper **while** queuing up.

TROP

verbe + trop → *too much*

- J'ai **trop** travaillé, je suis morte de fatigue.
  I've worked **too much**, I'm dead tired.

trop + adjectif/adverbe → *too + adjectif/adverbe*

- Il fait **trop** froid pour dîner dans le jardin.
  It's **too** cold to have dinner in the garden.

- Il a poussé la plaisanterie **trop** loin.
  He carried the joke **too** far.

nom + trop + adjectif → *too + adjectif + a(n) + nom*

- Ce fut un séjour **trop** court.
  It was **too** short a stay.

TROP DE

trop de + nom → *too much + sg/too many + pl.*

- Tu bois **trop de** café.
  You drink **too much** coffee.

- Il y avait **trop de** choses à voir dans cette exposition.
  There were **too many** things to see in this exhibition.

- trop peu de + nom → *too little* + sg/*too few* + pl.

  - Il reste **trop peu de** temps pour aller la voir.
    There's **too little** time left to go and visit her.

  - **Trop peu de** touristes visitent cet endroit.
    Too few tourists visit this place.

- de trop → somme + *too much*/nombre + *too many*

  - C'est cinq euros **de trop**.
    It's five euros **too much**.

  - Il y a une chaise **de trop**.
    There's one chair **too many**.

VENIR DE

- je viens/il vient de → *I have/he has just* + participe passé

  - Je **viens de** l'appeler.
    I**'ve just** called him.

  - Il **vient de** terminer.
    He **has just** finished.

  > **NOTEZ BIEN**
  > Sous l'influence de l'anglais américain, on emploie de plus en plus le prétérit avec *just*.
  > I **just** called him.
  > He **just** finished.

- je venais/il venait de → *I/he had just* + participe passé

  - Elle **venait de** raccrocher quand je suis arrivé.
    She **had just hung up** when I arrived.

VOULOIR

- « exiger » → *want*

  - Il **veut** une réponse rapide.
    He **wants** a prompt reply.

  - Il **voulait** toujours plus.
    He always **wanted** more.

● **je voudrais/il voudrait → *I/he would like ('d like)***

- Nous **voudrions** une chambre double s'il vous plaît.
  We'**d like** a double room, please.

NOTEZ BIEN
Would like + nom est employé pour offrir poliment quelque chose.

Tu **voudrais** boire quelque chose⸮
Would you **like** a drink⸮

● **vouloir + infinitif → *want to/would like to* + verbe**

- J'ai toujours **voulu** aller au Japon.
  I'**ve** always **wanted** to go to Japan.
- Il **voudrait** savoir pourquoi elle n'a pas répondu.
  He **would like to** know why she didn't answer.

● **ne pas vouloir + infinitif → *will not/do not want to* + verbe**

- Cet enfant est malade. Il ne **veut** rien manger.
  This child is ill, he **won't** (**doesn't want to**) eat anything.
- Elle était malade. Elle ne **voulait** rien manger.
  She was ill, she **wouldn't** eat anything. [à l'oral]

● **dans une réponse → *I, you… want to/would like to***

- « Est-ce que tu aimerais venir avec moi⸮ – Oui, je **voudrais** bien. »
  "Would you like to come with me⸮" "Yes, I'**d like to** very much."
- « Pourquoi ne la vend-il pas⸮ – Il ne **veut** pas. »
  "Why doesn't he sell it⸮" "He **doesn't want to**."

● **vouloir que → *I, you… want sb to/would like sb to* + verbe**

- Ils **veulent que** nous soyons rentrés à six heures.
  They **want us to** be back by 6.
- Tu **veux que** je t'aide⸮
  Do you **want me to** help you⸮

NOTEZ BIEN
Attention ! Jamais *want that*.

Il **voudrait que** nous venions le chercher à l'aéroport.
He **would like us to** pick him up at the airport.

Différences de prononciation

Les différences les plus importantes entre anglais britannique standard et anglais américain standard sont du domaine de la phonétique et de la phonologie. Dans la plupart des cas :

- Le *r* qui suit une voyelle est prononcé en américain alors qu'il ne l'est pas en anglais britannique.

  deplore [GB] : /dɪˈplɔː/   [US] : /dɪˈplɔr/

- Le **t** qui se trouve entre deux voyelles est proche du son **d** en américain.

  city [GB] : /ˈsɪti/   [US] : proche de /ˈsɪdi/

- Consonne + *ju* se prononce consonne + *u* en américain.

  new [GB] : /njuː/   [US] : /nuː/

- *A* long et *a* bref sont confondus en américain.

  France [GB] : /frɑːns/   [US] : /fræns/

- Le *o* ouvert de l'anglais britannique n'existe pas en anglais américain. Le *o* de *hot* se prononce comme *ea* dans *heart* en américain, la différence étant que dans *heart* on entend un **r**.

  hot [GB] /hɒt/   [US] /hɑːt/
  heart [GB] /hɑːt/   [US] /hɑːrt/

Différences grammaticales

- Il existe quelques différences d'ordre grammatical, en particulier dans certaines formes verbales et l'emploi des temps. Par exemple :

  - I've just seen him. [GB]
    I just saw him. [US]
    Je viens de le voir.

  - It's one year since they bought their house. [GB]
    It's been one year since they bought their house. [US]
    Cela fait un an qu'ils ont acheté leur maison.
    (Ils ont acheté leur maison il y a un an.)

- L'anglais américain distingue *have got* (avoir) de *have gotten* (obtenir). En anglais britannique, on n'utilise pas *gotten* et on emploie le verbe *obtain* à la place de *have gotten*.

  - She has (got) a new job. [GB/US]
    Elle a un nouvel emploi.

  - She's gotten a new job. [US]
    She has obtained a new job. [GB]
    Elle a obtenu un nouvel emploi.

Différences lexicales

- Les différences dans le lexique sont parfois assez nettes. Voici quelques exemples courants.

ANGLAIS	AMÉRICAIN	
an aerial	an antenna	une antenne
a flat	an apartment	un appartement
luggage	baggage	des bagages
a tin	a can	une boîte de conserve
a sweet	a candy	un bonbon
a biscuit	a cookie	un biscuit
the chemist's	a drugstore / a pharmacy	une pharmacie
a lift	an elevator	un ascenseur
autumn	the fall	l'automne
a tap	a faucet	un robinet
a torch	a flashlight	une lampe électrique
a motorway	a freeway	une autoroute
rubbish	garbage	les ordures
petrol	gas	de l'essence
a queue	a line	une file d'attente
a postman	a mailman	un facteur
a railway carriage	a railway car	un compartiment de train
the pavement	the sidewalk	le trottoir
a lorry	a truck	un camion
a boot	a trunk	un coffre de voiture
holiday	vacation	les vacances
the windscreen	the windshield	le pare-brise

- Il y a aussi des ambiguïtés.

	ANGLAIS	AMÉRICAIN
un billet de banque	a (bank)note	a bill
une addition (dans un café)	a bill	a check
le rez-de-chaussée	the ground floor	the first floor
le premier étage	the first floor	the second floor
des frites	(potato) chips	French fries
des chips	(potato) crisps	chips
le métro	the underground	the subway
un passage souterrain	a subway	an underpass
faire la vaisselle	wash up	wash the dishes
se laver les mains	wash one's hands	wash up

- Attention aux dates.
  9 / 12 / 09
  [GB] : 9 décembre 2009
  [US] : 12 septembre 2009

Différences orthographiques

Au plan de l'orthographe, l'américain va en général vers une simplification. Voici quelques exemples.

ANGLAIS	AMÉRICAIN
-our : colour	-or : color
-se : analyse	-ze : analyze
-re : centre	-er : center
-ogue : catalogue	-og : catalog
programme	program

Vocabulaire

@ Vous trouverez sur le site
www.bescherelle.com
l'enregistrement intégral
de la rubrique
«Vous les connaissez.
Savez-vous les prononcer?».

Abréviations utilisées
qqn : quelqu'un
qqch. : quelque chose
fig. : figuré

L'astérisque signale
les verbes irréguliers.

1 L'identité

L'ÉTAT CIVIL

mankind /mænˈkaɪnd/ : l'humanité

a human (being) : un (être) humain

people : les gens, les personnes

a lady [pl. *ladies*] : une dame

a gentleman [pl. *gentlemen*] : un monsieur, un gentleman

the first name, the Christian name : le prénom

the surname, the last name : le nom de famille

a nickname : un surnom

Miss Smith : Mademoiselle Smith

Ms /məz/ : Mme [employé pour ne pas donner le statut marital]

a bachelor : un célibataire

a single parent : un père / une mère célibataire

a widow : une veuve

a widower : un veuf

the ID (identity card) /ˌaɪˈdiː/ : la pièce d'identité

civil status : l'état civil

personal details : les coordonnées

an occupation : une profession

male /meɪl/ : masculin

female : féminin

single, unmarried : célibataire

married : marié

related : apparenté

divorced : divorcé

to introduce sb : présenter qqn

to shake hands with sb : serrer la main de qqn

to call : appeler

to be called : s'appeler

L'ÂGE

a birth : une naissance

an infant : un nourrisson

a child [pl. *children*] : un enfant

a kid : un enfant, un gamin

the young : les jeunes

a teenager : un adolescent

a grown-up : un adulte

an elderly person : une personne âgée

childhood /ˈtʃaɪldhʊd/ : l'enfance

youth : la jeunesse

middle age : la cinquantaine

old age : la vieillesse

death : la mort

to be born on... : être né le...

to come of age : atteindre la majorité

to die : mourir

to bury /ˈberi/ : enterrer

UN PEU DE CONVERSATION

- I'm Ruth, but I'm sorry I didn't catch your name.
  Je m'appelle Ruth, mais désolée, je n'ai pas saisi votre nom.

- "What's your name?" "I'm called Lee."
  « Comment est-ce que tu t'appelles ? – Je m'appelle Lee. »

- Nice / Pleased to meet you. My name is Steve.
  Enchanté. Je m'appelle Steve.

- Have you two met?
  Vous vous connaissez ?

- You must be Laurie. I've heard so much about you.
  Vous êtes certainement Laurie. J'ai tellement entendu parler
  de vous.

- It was nice to meet you. (Nice meeting you.)
  Ravi d'avoir fait votre connaissance.

- He is in his forties but he looks thirty.
  Il a la quarantaine, mais il en paraît trente.

- Lucy was born in 1999.
  Lucy est née en 1999.

- "How old are you?" "I'm fifty." "You don't look your
  age."
  « Quel âge tu as ? – J'ai cinquante ans. – Tu ne les fais pas. »

- She looks forward to coming of age to be able to
  vote.
  Elle est pressée d'atteindre la majorité pour pouvoir voter.

② La famille

LA STRUCTURE FAMILIALE

a family tree : un arbre
généalogique
an heir /eə/ : un héritier
the offspring : la descendance
a relative : un parent

engagement : les fiançailles
a wedding : un mariage
[la cérémonie]
a bride /braɪd/ : une mariée
newlyweds : des jeunes mariés

a wife : une femme, une épouse
a husband : un mari

a mother : une mère
Mum, Mummy : Maman

a father : un père
Dad, Daddy : Papa
a daughter : une fille
a son : un fils
a brother : un frère
a sister : une sœur
twins : des jumeaux
an aunt /ɑːnt/ : une tante
an uncle : un oncle
a nephew : un neveu

to bring* up : élever
to take* after sb : tenir de qqn

DÉSACCORDS ET RECOMPOSITION

a single parent family : une famille
mono-parentale
a single parent : un père /
une mère célibataire
a blended family : une famille
recomposée
foster parents : des parents
adoptifs
a guardian : un tuteur / une tutrice
my former husband : mon ex-mari
custody /'kʌstədi/ : la garde
des enfants
alimony /'ælɪməni/ : la pension
alimentaire

to be* (un)faithful to sb : être
(in)fidèle à qqn
to quarrel : se disputer, se brouiller
to have* a fight with sb :
se disputer / se battre avec qqn
to break* up, to split* up with sb :
rompre avec qqn
to remarry, to get* married again :
se remarier
to adopt : adopter
to foster : élever [sans adopter]

- Pour désigner « grand » et « petit » au sein d'une même famille, on utilise **grand-** :
  a grandmother (une grand-mère) ; a grandson (un petit-fils).
- Pour désigner les membres de la belle-famille, c'est-à-dire de la famille par alliance,
  on utilise **-in-law** : the parents-in-law (les beaux-parents) ; a mother-in-law (une
  belle-mère).
- **Step-** permet de désigner les membres de la famille recomposée : a step-father
  (un beau-père = le mari de ma mère) ; a step-sister (une demi-sœur)...

UN PEU DE CONVERSATION

- We have the same family name, but we are not related.

  Nous avons le même nom de famille, mais nous ne sommes pas apparentés.

- "I'm an only child." "I could tell."

  « Je suis fils / fille unique. – Ça se voit. »

- All my relatives came for my parents' wedding anniversary.

  Toute ma famille est venue à l'anniversaire de mariage de mes parents.

- They broke off their engagement.

  Ils ont rompu leurs fiançailles.

- My neighbours don't want to start a family yet. They still want to enjoy life.

  Mes voisins ne veulent pas d'enfant pour l'instant. Ils veulent encore profiter de la vie.

- My two kids take after my husband, but they have my brains. Thank God for that!

  Mes deux enfants ressemblent à mon mari, mais ils ont mon intelligence. Dieu merci !

- Bring your partner along.

  Venez avec votre conjoint.

L'ASPECT PHYSIQUE

VOUS LES CONNAISSEZ. SAVEZ-VOUS LES PRONONCER ?

appearance /əˈpɪərəns/ ❖ beautiful /ˈbjuːtəfəl/ ❖ giant /ˈdʒaɪənt/

figure : la silhouette
the face : le visage
the head : la tête
the brain : le cerveau

the neck : le cou
hair : les cheveux
the cheeks : les joues
a tooth [pl. *teeth*] : une dent

skin : la peau
complexion : le teint
a wrinkle : une ride

the back : le dos
a bone : un os
the belly : le ventre
the waist : la taille

a shoulder /ˈʃəʊldə/ : une épaule
an arm : un bras
a hand : une main
a finger : un doigt
a leg : une jambe
a knee /niː/ : un genou
a foot [pl. *feet*] : un pied
a toe : un orteil

tall : grand [taille]
big : grand (et fort)
short : petit [taille]
small : petit

tiny /ˈtaɪni/ : minuscule

strong : fort
sturdy : robuste
weak : faible

fat : gros
thin, slim, lean : mince
slender : svelte
skinny : maigre

(platinum) blond : blond(e)
(platine)
brown, dark : brun
red, ginger : roux / rousse
bald : chauve

good-looking : beau / belle
handsome : beau [pour un homme]
attractive : séduisant, attirant
pretty : joli
cute /kjuːt/ : mignon

ugly : laid
repulsive : repoussant

naked /ˈneɪkɪd/ : nu
tanned : bronzé

to look : avoir l'air
to look like sb, to resemble sb :
ressembler à qqn
to keep one's figure : garder
la ligne

UN PEU DE CONVERSATION

- She is 1 metre 60 tall.
  Elle mesure 1 mètre 60.

- She put on weight when she visited the States.
  Elle a pris du poids pendant son séjour aux États-Unis.

- He takes after his father.
  Il tient de son père.

- You can't go by looks.
  Il ne faut pas se fier aux apparences.

LES CINQ SENS

VOUS LES CONNAISSEZ. SAVEZ-VOUS LES PRONONCER ?

to see /siː/ ❖ **to hear** /hɪə/ ❖ **to touch** /tʌtʃ/ ❖ **transparent** /trænsˈpærənt/
❖ **opaque** /əʊˈpeɪk/

an eye : un œil
an ear : une oreille
the mouth /maʊθ/ : la bouche

a flavour : un parfum [au goût]
the nose : le nez
a fragrance /ˈfreɪgrəns/ :
une senteur

blind /blaɪnd/ : aveugle
deaf /def/ : sourd
dumb /dʌm/ : muet

to notice : remarquer [du regard]
to glance (at) : jeter un coup d'œil
to stare (at) : fixer du regard
to taste /teɪst/ : goûter
to smell* : sentir
to sniff : renifler
to stink* : empester
to feel* : tâter
to rub : frotter
to stroke /strəʊk/ : caresser

UN PEU DE CONVERSATION

- I have scanned the list but I did not find his name.
  J'ai parcouru attentivement la liste mais je n'ai pas trouvé
  son nom.

- You know, they overheard your conversation.
  Tu sais, ils ont entendu ce que vous disiez.

- I lost sight of him two years ago.
  Je l'ai perdu de vue il y a deux ans.

MOUVEMENTS, POSITIONS, GESTES

to walk /wɔːk/ ❖ movement /'muːvmənt/ ❖ gesture /'dʒestʃə/

a step : un pas
a stride /straɪd/ : une enjambée
a leap /liːp/ : un bond

awkward, clumsy : maladroit
clever : adroit
restless : qui ne tient pas en place

to move : bouger
to rush, to dash : se précipiter
to run* away : se sauver

to lie* /laɪ/ : être allongé
to lie down : s'allonger
to stand* : être debout
to stand up : se lever
to sit* : être assis

to sit down : s'asseoir

to stretch : s'étirer
to bend* : se courber
to lean : s'appuyer, se pencher

to raise one's hand : lever la main
to wave : faire signe de la main

to push /pʊʃ/ : pousser
to pull /pʊl/ : tirer
to hold* : tenir
to seize /siːz/ : saisir

to and fro /tu: ənd frəʊ/ : de long
en large
on all fours : à quatre pattes

☐ UN PEU DE CONVERSATION

- Keep off the grass.
  Défense de marcher sur la pelouse.
- Could you fetch me a hammer?
  Tu peux aller me chercher un marteau ?
- She lost her balance and fell down the stairs.
  Elle a perdu l'équilibre et elle est tombée dans l'escalier.
- Don't let anyone tread on your toes!
  Ne te laisse pas marcher sur les pieds !

LA PERSONNALITÉ

personality /ˌpɜːsə'næləti/ ❖ character /'kærɪktə/ ❖ attitude /'ætɪtjuːd/
❖ honest /'ɒnɪst/ ❖ serious /'sɪərɪəs/ ❖ cruel /'kruːəl/ ❖ patient /'peɪʃnt/

behaviour / behavior [US] :
le comportement
a fault, a defect : un défaut
an asset : une qualité

a shortcoming : un travers
the mood : l'humeur
wisdom : la sagesse
pride /praɪd/ : la fierté

good-tempered : qui a bon caractère
good-natured : facile à vivre
friendly : gentil, amical
nice, likeable : sympa
funny : drôle
charming : charmant

wise : sage
trustworthy : digne de confiance
brave /breɪv/ : courageux
proud /praʊd/ : fier
self-confident : sûr de soi

sensible : sensé
sensitive : sensible
moody : lunatique
lonely : solitaire
shy /ʃaɪ/ : timide
touchy : susceptible

careful : soigneux
skilful : habile, adroit
cautious : prudent
rash : imprudent, irréfléchi
hard-working : travailleur

lazy : fainéant
casual, offhand : désinvolte
rude /ruːd/, **cheeky, saucy** : insolent
evil /'iːvl/ : méchant
naughty /'nɔːti/ : vilain
wicked /'wɪkɪd/, **mean** : méchant
inquisitive : curieux, qui aime savoir
nosy : curieux, fouineur
hard, harsh : dur, sévère
tough /tʌf/ : dur, tenace, endurci
rough /rʌf/ : brutal, peu raffiné
tense, uptight : tendu

to behave (oneself) : bien se tenir
to sulk : bouder

☐ UN PEU DE CONVERSATION

- He lacks personality, don't you think?
  Il manque de personnalité, tu ne trouves pas ?

- She's strict but fair.
  Elle est sévère mais juste.

- You have no manners.
  Tu n'as aucun savoir-vivre.

- Your grandma is so easy-going and she has plenty of drive.
  Ta grand-mère est si facile à vivre et elle est pleine de dynamisme.

- Don't be such a coward. Go tell her how you feel about her.
  Ne sois pas si lâche. Va lui dire ce que tu éprouves pour elle.

AMOUR ET HAINE

love /lʌv/ ❖ friend /frend/ ❖ to enjoy /ɪn'dʒɔɪ/ ❖ jealous /'dʒeləs/

a feeling /'fiːlɪŋ/ : un sentiment
appeal : le charme
warmth : la cordialité, la chaleur
hate, hatred : la haine
scorn : le mépris
a date : un rendez-vous [amoureux]
an affair : une liaison
a lover : un(e) amant(e)

friendly : amical
close : proche, intime
fond : affectueux

to be* in a relationship : avoir qqn dans sa vie
to be fond of : aimer beaucoup
to get* on with sb : bien s'entendre avec qqn
to dislike : ne pas aimer
to loathe /ləʊð/, to hate : détester
to go* out with sb : sortir avec qqn
to be / feel* attracted to sb : être attiré par qqn

☐ UN PEU DE CONVERSATION

- She has totally captivated him: he is madly in love with her.
  Elle l'a complètement séduit : il est fou amoureux d'elle.

- For me it was love at first sight, which just proves that love is blind.
  Pour moi, cela a été un coup de foudre, ce qui prouve bien que l'amour est aveugle.

- He is a keen photographer.
  C'est un passionné de photo.

- I can't bear her!
  Je ne peux pas la supporter.

- I don't really fancy driving in Scotland in winter.
  Je n'ai pas vraiment envie de conduire en Écosse en hiver.

- It's not his cup of tea.
  C'est pas son truc.

- I don't care much for abstract painting.
  Je n'aime pas trop la peinture abstraite.

JOIE, SOULAGEMENT, TRISTESSE

VOUS LES CONNAISSEZ. SAVEZ-VOUS LES PRONONCER ?

joy /dʒɔɪ/ ❖ satisfaction /ˌsætɪsˈfækʃn/ ❖ depressed /dɪˈprest/
❖ depression /dɪˈpreʃn/

happiness : le bonheur
pleasure /ˈpleʒə/ : le plaisir
a delight : un grand plaisir
(job) satisfaction : la satisfaction
(au travail)
relief /rɪˈliːf/ : le soulagement
sadness : la tristesse
sorrow : la peine, la douleur
grief /griːf/ : le chagrin
unhappiness : le malheur

happy : heureux
glad, pleased : content
delighted : ravi
satisfied /ˈsætɪsfaɪd/ : satisfait
satisfying, satisfactory : satisfaisant

relieved : soulagé

sorry : désolé
sad (about) : triste (de)
homesick : nostalgique
desperate : désespéré
upset : bouleversé
depressed : déprimé

to feel* happy : se sentir bien
to cheer up : reprendre courage
to comfort : consoler

to hurt* : blesser
to hurt* sb's feelings : faire
de la peine à qqn
to get* sb down : déprimer qqn

☐ UN PEU DE CONVERSATION

- I was thrilled to meet her.
  Ça m'a fait un grand plaisir de la rencontrer. (Ça m'a vraiment
  fait quelque chose…)

- I'm so excited! I can't believe I passed my exam.
  Je suis si content ! Je n'arrive pas à croire que j'ai été reçu
  à mon examen.

- To my relief (To my satisfaction), she then said
  she was joking.
  À mon grand soulagement, elle a ensuite dit qu'elle plaisantait.

- That's a relief!
  J'aime mieux ça.

- The weather is beginning to get me down.
  Ce temps commence à me déprimer.

- You can't understand how upsetting it was for me.
  Tu ne peux pas comprendre à quel point ça m'a bouleversé.

- I can't say I'm overjoyed to hear that.
  Je ne peux pas dire que je sois ravi d'entendre ça.

SURPRISE, COLÈRE

disbelief : l'incrédulité

anger : la colère
a fit of anger : une colère
fury /'fjʊəri/ : la fureur

amazing : incroyable, étonnant
staggering : stupéfiant, ahurissant
startling : surprenant, saisissant
unexpected : inattendu
unbelievable, incredible :
incroyable

amazed : stupéfait, ébahi
astonished : surpris
startled : très surpris
stunned : abasourdi
shocked /ʃɒkt/ : abasourdi, choqué

annoyed : agacé, mécontent
angry : en colère

to surprise : surprendre
to amaze /ə'meɪz/ : stupéfier
to shock : choquer, bouleverser
to aggravate sb : exaspérer qqn
to drive* sb mad : rendre fou qqn

to be* taken aback : être
décontenancé
to take* offence at : se formaliser
de
to resent sth : être indigné
par qqch.
to be speechless : être sans voix
to be cross / mad : être furieux
to lose* one's temper : s'emporter

☐ UN PEU DE CONVERSATION

- Surprise, surprise, that's exactly when she called.
  Comme par hasard, c'est exactement à ce moment-là qu'elle
  a téléphoné.
- My neighbour has the knack of aggravating me.
  Mon voisin / Ma voisine a le don de m'exaspérer.
- I really resented his manner.
  Son attitude m'est restée en travers de la gorge.
- It gets on my nerves.
  Ça me tape sur les nerfs.
- This drives me mad (crazy).
  Ça me rend dingue.

PEUR, ANGOISSE, STRESS

VOUS LES CONNAISSEZ. SAVEZ-VOUS LES PRONONCER ?
terrified /'terəfaɪd/ ❖ terrible /'terəbl/

anguish : l'anxiété

disturbed by / at : perturbé par
worried about : inquiet de
worrying : inquiétant
dreadful /'dredfl/, awful : terrible
awesome : terrifiant
appalling /ə'pɔːlɪŋ/ : épouvantable

to dread /dred/ : redouter
to fear sth / sb : craindre qqch. / qqn

to fear for sb : trembler pour qqn
to be* afraid of sth (to do sth) : avoir peur de (faire) qqch.
to be frightened of sth (to do sth) : avoir très peur de (faire) qqch.
to shake*, to shudder : trembler (de peur)
to have* stage fright : avoir le trac
to be under stress : être stressé
to frighten, to scare : faire peur à
to threaten : menacer

⬭ UN PEU DE CONVERSATION

- As usual at Christmas, she is on edge.
  Comme d'habitude à Noël, elle est à cran.

- As a child, I was scared stiff of going out into the garden at night.
  Quand j'étais enfant, j'avais une peur bleue de sortir dans le jardin la nuit.

- The Prime Minister was appalled at those terrible acts of terrorism.
  Le Premier ministre a été horrifié par ces épouvantables attentats terroristes.

- I was stuck in a traffic jam for two hours. It was a nightmare.
  J'ai été coincée dans les embouteillages pendant deux heures. Ça a été un vrai cauchemar.

- No panic! It can wait.
  Il n'y a pas le feu ; ça peut attendre.

PENSÉE, OPINION, MÉMOIRE

VOUS LES CONNAISSEZ. SAVEZ-VOUS LES PRONONCER ?

intelligence /ɪnˈtelɪdʒəns/ ❖ **intellectual** /ˌɪntəˈlektʃuəl/ ❖ **stupidity** /stjuˈpɪdɪti/ ❖ **imagination** /ɪˌmædʒɪˈneɪʃn/ ❖ **illusion** /ɪˈluːʒn/ ❖ **memory** /ˈmeməri/ ❖ **to imagine** /ɪˈmædʒɪn/ ❖ **to invent** /ɪnˈvent/

the mind /maɪnd/ : l'esprit
reason /ˈriːzn/ : la raison
reasoning : le raisonnement
thought /θɔːt/ : la pensée
knowledge /ˈnɒlɪdʒ/ : le savoir
meaning : la signification

common sense : le bon sens
insight, perspicacity : la perspicacité

an argument : un débat, une dispute
a judgement : une opinion, un avis
a prejudice : un préjugé

a fancy : une idée fantasque
a fantasy : un rêve, un fantasme

a memory : un souvenir [mental]
a reminder : un rappel

conscious, aware /əˈweə/ : conscient
rational : sensé, doué de raison
clever, bright : intelligent
shrewd /ʃruːd/ : perspicace
witty : spirituel

thinkable : imaginable
relevant : pertinent
obvious : évident

mindless : stupide
dull, dim : borné

to think* : penser
to judge : juger
to assess, to appraise : estimer, évaluer
to realize /ˈrɪəlaɪz/ : se rendre compte de

to gather : déduire
to argue : se disputer, argumenter
to notice : remarquer
to take* sth into account : tenir compte de qqch.

to surmise, to assume, to presume : supposer, conjecturer
to fancy : se figurer, imaginer
to guess : deviner
to figure /ˈfɪɡə/ : penser, s'imaginer
to be unaware of : ne pas être conscient de

to remember sth, to recall sth : se souvenir de qqch.
to remind /rɪˈmaɪnd/ **sb of sth** : rappeler qqch. à qqn
to forget* : oublier

UN PEU DE CONVERSATION

- "Guess what! I'm getting married!" "Fancy that!"
  « Tu sais quoi ? Je vais me marier ! – Voyez-vous ça ! »

- I can't figure it out. In my opinion, it doesn't make sense.
  Ça me dépasse. À mon avis, ça n'a pas de sens.

- It rings a bell.
  Ça me rappelle quelque chose.

- It slipped my mind (my memory).
  Ça m'était complètement sorti de la tête.

- To my mind (To me *ou* In my opinion), it should never have happened.
  Selon moi, cela n'aurait jamais dû se produire.

- The unthinkable happened.
  L'inimaginable s'est produit.

RELIGIONS ET CROYANCES

VOUS LES CONNAISSEZ. SAVEZ-VOUS LES PRONONCER ?

religion /rɪˈlɪdʒn/ ❖ **catholic** /ˈkæθlɪk/ ❖ **islam** /ˈɪzlɑːm/
❖ **judaism** /ˈdʒuːdeɪɪzm/ ❖ **protestantism** /ˈprɒtɪstəntɪzm/ ❖ **theology**
/θiˈɒlədʒi/ ❖ **sermon** /ˈsɜːmən/ ❖ **cathedral** /kəˈθiːdrəl/ ❖ **mosque** /mɒsk/
❖ **Bible** /ˈbaɪbl/

freedom of religion : la liberté religieuse
a god : un dieu
a belief : une croyance
faith : la foi
salvation : le salut

the gospel : l'évangile
the soul /səʊl/ : l'âme
a sin : un péché
heaven /ˈhevn/ : le ciel, le paradis
hell : l'enfer
a devil /ˈdevl/ : un diable

a preacher : un prédicateur
a pilgrim : un pèlerin
a pilgrimage : un pèlerinage
a crusade /kruːˈseɪd/ : une croisade

secularism : la laïcité
a secular education : une éducation laïque
an atheist /ˈeɪθiɪst/ : un(e) athée
a charm : un gri-gri
a magic spell : un sortilège

Christmas : Noël
Good Friday : le Vendredi Saint
Easter : Pâques
All Saints' Day : la Toussaint
the Eid /iːd/ Festival : la fête de l'Aïd
Passover : la Pâque (juive)

holy /ˈhəʊli/ : saint, bénit
evil /ˈiːvəl/ : mauvais
credulous, gullible : crédule

Christian : chrétien
Hindoo, Hindu : hindouiste
Jewish : juif
Muslim : musulman

to believe in : croire à, en
to worship sb : vouer un culte à qqn
to convert to : se convertir à
to pray : prier
to bewitch : envoûter

Un peu de conversation

- The new president swears on the Bible to protect his country.

  Le nouveau Président jure sur la Bible de protéger son pays.

- She's not religious.

  Elle n'est pas croyante.

- I was in heaven.

  J'étais au 7e ciel (aux anges).

- I don't want to be sacrificed on the altar of productivity.

  Je ne veux pas me sacrifier sur l'autel de la productivité.

PRENDRE LA PAROLE

VOUS LES CONNAISSEZ, SAVEZ-VOUS LES PRONONCER ?

language /ˈlæŋgwɪdʒ/ ❖ silence /ˈsaɪləns/ ❖ to pronounce /prəˈnaʊns/

speech /spiːtʃ/ : la parole
a speech : un discours
a mother tongue, a native language : une langue maternelle
a foreign language : une langue étrangère
slang : l'argot

a conference : un colloque, une conférence
a lecture : une conférence
a meeting : une réunion

a statement : une déclaration
a hint /hɪnt/ : une allusion
gossip : le commérage, les ragots

deep : grave [voix]
high-pitched, shrill : aigu [voix]

articulate : qui s'exprime avec aisance
talkative /ˈtɔːkətɪv/ : bavard
dumb /dʌm/, mute : muet

formal : soutenu
colloquial : familier
substandard : incorrect

to utter /ˈʌtə/ words : prononcer des mots
to raise one's voice : hausser le ton
to speak* up : parler (plus) fort, parler franchement

to cry (out) : s'écrier
to shout /ʃaʊt/ : crier, pousser des cris
to howl /haʊl/, to yell : hurler
to cheer sb : acclamer qqn
to jeer at sb, to boo sb : huer qqn
to mumble, to mutter : marmonner
to stammer, to stutter : bégayer
to sigh /saɪ/ : soupirer

to talk : parler, discuter
to say* sth : dire qqch.
to tell* sb sth : dire qqch. à qqn
to express sth : exprimer qqch.
to mean*, to signify : vouloir dire, signifier
to chat /tʃæt/, to have a chat with sb : bavarder
to answer, to reply : répondre
to remark : remarquer oralement, faire observer
to point out : faire remarquer
to imply /ɪmˈplaɪ/ : laisser entendre, impliquer
to add : ajouter
to convince : convaincre
to hush /hʌʃ/ : faire taire, se taire
to keep one's voice down : parler doucement
to shut* up : se taire

▸ DIRE P. 120

- Her promotion has become a hot topic
  of conversation around the office.
  Sa promotion fait l'objet de toutes les conversations au bureau.

- I must emphasize that there is no official denial
  of this rumour.
  Je dois souligner le fait qu'il n'y a pas de démenti officiel
  à cette rumeur.

- He was tongue-tied from shyness.
  Il était trop timide pour parler.

- Stop telling me to speak up. I'm hoarse and I can
  only whisper.
  Arrête de me dire de parler plus fort. Je suis enroué et je ne peux
  que chuchoter.

PARLER AU TÉLÉPHONE

VOUS LES CONNAISSEZ. SAVEZ-VOUS LES PRONONCER ?

(tele)phone /'telɪfəʊn/ ❖ mobile phone /'məʊbaɪl fəʊn/ ❖ SMS /esem'es/
❖ MMS /emem'es/

a cell / mobile phone :
un téléphone portable

a phone number : un numéro
de téléphone

the code : l'indicatif téléphonique

extension 234 : poste 234

a directory /dɪ'rektri/, a phone
book : un annuaire

the dialling /'daɪəlɪŋ/ [GB] / dial
[US] tone : la tonalité

an answering machine :
un répondeur

a handsfree kit : un kit mains libres

to (tele)phone, to call : téléphoner

to ring* [GB], to make* a phone
call : téléphoner

to pick up / lift the phone :
décrocher le téléphone

to get* through to sb : joindre qqn

to send* (a text) : envoyer
(un message)

to hang* up, to ring* off, to put*
the phone down : raccrocher

to cut* off : couper

□ UN PEU DE CONVERSATION

- "Hello! Could I speak to Ian Parker, please⸮"
  "Speaking."
  « Allô ! Pourrais-je parler à Ian Parker, s'il vous plaît⸮
  – C'est lui-même. »

- Could you put Mr Lewis on (put me through to Mr Lewis)?
  Pourriez-vous me passer M. Lewis?

- "Hand him over to me, please." "Hold on. (Hang on.)"
  « Passez-le-moi. – Ne quittez pas. »

- Who is calling? (Who is speaking?)
  C'est de la part de qui?

- My battery is running low. I need to recharge my cell phone.
  Ma batterie est faible. Il faut que je recharge mon portable.

- The signal is very weak.
  Le signal est très faible.

- You dialled a wrong number.
  Vous avez composé un faux numéro.

- The line is engaged [GB] / busy [US].
  La ligne est occupée.

- She hung up on me! The cheek of it!
  Elle m'a raccroché au nez! Quel toupet!

- I'm not available to answer your call at the moment. Please, leave a message after the tone.
  Je ne peux pas répondre à votre appel en ce moment.
  Veuillez laisser un message après le bip sonore.

LE COURRIER POSTAL

VOUS LES CONNAISSEZ. SAVEZ-VOUS LES PRONONCER ?

envelope /'envələʊp/ ❖ address /ə'dres/ ❖ packet /'pækɪt/

the post : le courrier postal
a post office : une poste
a postman [GB] / a mailman [US] :
un facteur
delivery : la distribution
a postbox [GB] / mailbox [US] :
une boîte aux lettres
a letterbox : une boîte aux lettres
[de la maison]

a registered letter : une lettre
recommandée

a parcel : un paquet
a self-addressed envelope : une
enveloppe à son nom et adresse

the sender : l'expéditeur
the addressee /ˌædres'i:/ :
le destinataire
a stamp : un timbre
postage paid : port payé
the postcode [GB] / the zip code
[US] : le code postal
address unknown : inconnu à cette
adresse
please forward : prière de faire
suivre

to stamp : affranchir, timbrer
to post [GB] / to mail [US] : poster
to forward /'fɔːwəd/ : faire suivre

UN PEU DE CONVERSATION

- Is postage and packing included?
  Les frais de port et d'emballage sont-ils inclus ?

- Don't forget to use the postcode [GB] / zip code [US].
  N'oubliez pas d'indiquer le code postal.

- Your letter is not sufficiently stamped.
  Votre lettre n'est pas suffisamment affranchie.

- It says "Return to sender" on the envelope.
  Il est marqué « Retour à l'envoyeur » sur l'enveloppe.

- Tell him to reply by return of post.
  Dis-lui de répondre par retour du courrier.

- Has the post been / come yet?
  Le courrier est-il arrivé ?

- There's no post [GB] / mail [US] this morning.
  Il n'y a pas de courrier ce matin.

ÉCRIRE UNE LETTRE

Présentation
Pour une lettre formelle, indiquez votre adresse et la date
en haut à droite.

S'adresser à son correspondant

Relations familières	Relations formelles
Dear / Dearest + prénom	Dear Sir, / Dear Madam,
Dear all,	Dear Mr + nom / Dear Mrs + nom
Hi! Hi everybody!	

Commencer une lettre

Relations familières	Relations formelles
It's ages since I've written...	I've just received your letter...
I'm sorry I haven't written before...	Many thanks for your letter of May 1st...
I got your letter two days ago...	In reply to your letter dated May 15th...
How good it was to hear from you...	Please find enclosed...

Terminer une lettre

Relations familières	Relations formelles
Write soon.	I look forward to hearing from you.
See you soon.	I should be grateful for an early reply.
Hope to hear from you soon.	My kindest regards to Pat.
Take care of yourself!	
Say hi to Pat.	

Formules de politesse

Relations familières	Relations formelles
Lots of love from...	Yours faithfully,
Much love, as always	Yours sincerely,
+ + + [= je t'embrasse]	Best regards,
xoxoxo [kisses and hugs]	Yours,

LE COURRIER ÉLECTRONIQUE ET INTERNET

the internet /ði 'ɪntənet/ ❖ **website** /'websaɪt/ ❖ **email** /'iːmeɪl/

the world wide web : la Toile
an internet provider :
un fournisseur d'accès
a network : un réseau
a browser /'braʊzə/ : un navigateur
an update : une mise à jour
a download : un téléchargement
a chat room : un forum
de discussion
an attachment : un fichier joint
a backup copy : une copie de
sauvegarde
to log on, to go* online :
se connecter

to be* online : être connecté
to log off, to go* offline :
se déconnecter
to browse /braʊz/ : parcourir
to download : télécharger
to update : mettre à jour, actualiser
to open / close a file : ouvrir /
fermer un fichier
to key /kiː/ sth (in) : saisir qqch.
to email : envoyer (par courriel)
to attach (a file) : joindre (un
fichier)
to hack : pirater

▸ L'INFORMATIQUE P. 229

UN PEU DE CONVERSATION

- Could you send me an email with your parents'
  address?
  Pourrais-tu m'envoyer un courriel avec l'adresse de tes parents ?

- Don't forget to attach your file.
  N'oublie pas de joindre ton fichier.

- You shouldn't download software from this site.
  It's not secured.
  Tu ne devrais pas télécharger de logiciels de ce site.
  Il n'est pas sécurisé.

- I can't log into (onto) the Internet.
  Je n'arrive pas à me connecter à Internet.

LES TYPES DE MAISONS, LE LOGEMENT

VOUS LES CONNAISSEZ. SAVEZ-VOUS LES PRONONCER ?

to squat /skwɒt/ ❖ squatter /'skwɒtə/ ❖ apartment /ə'pɑːtmənt/
❖ house /'haʊs/ ❖ tent /tent/

accommodation : le logement
my place, my home : chez moi
a high-rise building, a tower
block : une tour d'habitation
a flat [GB] / an apartment [US] :
un appartement
a furnished house / flat :
un meublé
a caravan [GB] / a trailer [US] :
une caravane
a shelter : un abri

for sale /fɔː seɪl/ : à vendre
to let [GB] / for rent [US] : à louer

the owner /'əʊnə/ : le propriétaire
a tenant /'tenənt/ : un locataire
the rent : le loyer
a removal /rɪ'muːvl/ :
un déménagement

to own : posséder
to rent, to let* (out) : louer
to move in / out : emménager /
déménager
to evict / turn out a tenant :
expulser un locataire
to have* a house-warming party :
pendre la crémaillère

▸ LES VILLES P. 209

UN PEU DE CONVERSATION

- There's no place like home.
  On n'est vraiment bien que chez soi.

- We've fallen behind with the rent, but the landlord
  is accommodating.
  Nous sommes en retard pour le loyer, mais le propriétaire
  est accommodant.

- Because of the shortage of affordable housing,
  there are more and more homeless people.
  À cause de la crise du logement, il y a de plus en plus
  de sans-abri.

LES DIFFÉRENTES PARTIES DE LA MAISON

balcony /'bælkəni/ ❖ **window** /'wɪndəʊ/ ❖ **door** /dɔ:/ ❖ **garage** /'gærɑ:ʒ/ ❖ **corridor** /'kɒrɪdɔ:/

a gate /geɪt/ : une grille
a fence : une clôture
a lock : une serrure
a wall : un mur
a front / back garden : un jardin devant / derrière la maison
a yard : une cour

a roof : un toit
a chimney : une cheminée [extérieure]
an aerial /'eəriəl/ : une antenne
a French window : une porte-fenêtre
a sash window : une fenêtre à guillotine
a bow /bəʊ/ window : une fenêtre en arc de cercle
a shutter : un volet
a blind /blaɪnd/, a shade : un store

a bedroom : une chambre
a guest / spare room : une chambre d'amis
the toilet [GB] : les toilettes

a bathroom : une salle de bains, [US] des toilettes
a study /'stʌdi/ : un bureau
a kitchen : une cuisine

the ground floor [GB] / the first floor [US] : le rez-de-chaussée
the stairs : l'escalier
a lift [GB] / an elevator [US] : un ascenseur
a floor, a storey : un étage
a loft : un grenier, un «loft»
an attic : un grenier
a cellar : une cave
a basement : un sous-sol

roomy : spacieux
neat and tidy /niːt ənd 'taɪdi/ : bien rangé
spotless : parfaitement propre
snug, cosy : douillet
dusty /'dʌsti/ : poussiéreux
messy : en désordre

to mow the lawn : tondre la pelouse

UN PEU DE CONVERSATION

- We live in a one-bedroom apartment.
  Nous vivons dans un deux pièces.

- Our windows look out onto a busy street.
  Nos fenêtres donnent sur une rue animée.

- Don't lean out of the window!
  Ne te penche pas par la fenêtre !

- Are you coming downstairs or do you want me to go upstairs?
  Tu descends ou tu veux que je monte ?

LE MOBILIER, L'ÉCLAIRAGE, LE CHAUFFAGE

VOUS LES CONNAISSEZ. SAVEZ-VOUS LES PRONONCER ?

armchair /'ɑːmtʃeə/ ❖ table /'teɪbl/ ❖ sofa /'səʊfə/ ❖ to wash /wɒʃ/
❖ soap /səʊp/ ❖ mirror /'mɪrə/

furniture : les meubles [voir p. 55]
a cupboard /'kʌbəd/ : un placard
a drawer /drɔː/ : un tiroir
a settee, a couch /kaʊtʃ/ :
un canapé
a stool /stuːl/ : un tabouret
a desk : un bureau [meuble]
a wall-to-wall carpet :
une moquette

a sink : un évier
a tap [GB] / a faucet [US] :
un robinet
the dustbin [GB] / the garbage
can [US] : la poubelle
(domestic) appliances :
les appareils (ménagers)
a cooker : une cuisinière
a fridge, a refrigerator : un frigo
a freezer : un congélateur
a washing machine : un lave-linge
a dishwasher : un lave-vaisselle
an (a microwave) oven : un four
(à micro-ondes)

a washbasin : un lavabo
a bath(tub) : une baignoire
a (bath) towel /taʊəl/ :
une serviette (de bain)

a (tooth)brush : une brosse
(à dents)
toothpaste : du dentifrice
a comb /kəʊm/ : un peigne
shampoo : du shampoing
a hairdrier /'heə ˌdraɪə/ :
un sèche-cheveux
a tissue /'tɪʃuː/ : un mouchoir
en papier
cotton (wool) : du coton
a nailfile /'neɪlfaɪl/ : une lime
à ongles

a plug : une prise
a bulb : une ampoule
(central) heating : le chauffage
(central)
an electric heater : un radiateur
électrique
a fireplace : une cheminée
an open fire : un feu, une flambée

to vacuum /'vækjuːm/, to hoover :
passer l'aspirateur
to clean : nettoyer
to wipe /waɪp/ : essuyer
to take* a bath / a shower /ʃaʊə/ :
prendre un bain / une douche
to shave : se raser

UN PEU DE CONVERSATION

- They must be home: there are lights on in their house.
  Ils doivent être chez eux : il y a de la lumière dans leur maison.

- Could you turn on the heater, please?
  Tu peux allumer le chauffage, s'il te plaît ?

- The flush won't work.
  La chasse d'eau ne marche pas.

FORMES, MATIÈRES, COULEURS

a shape : une forme
a tip : un bout, une pointe
an edge : un bord
an arrow : une flèche
a (dotted) line : une ligne
(pointillée)

height /haɪt/ : la hauteur
length : la longueur
width /wɪdθ/ : la largeur
depth : la profondeur
weight /weɪt/ : le poids

gold : l'or
silver : l'argent
lead /led/ : le plomb
stone : la pierre
marble : le marbre
wood : le bois
concrete : du béton
iron /aɪən/ : l'acier

wide, broad : large
narrow : étroit
thick : épais

straight : droit
smooth : lisse
soft : doux, mou
hard : dur
rough /rʌf/ : rugueux, rêche
heavy /'hevi/ : lourd
light : léger
deep : profond
shallow : peu profond

colourful : aux couleurs vives
brick red : rouge brique
fluorescent pink : rose fluo
nut brown : brun noisette, châtain
navy blue : bleu marine
emerald green : vert émeraude
canary yellow : jaune canari
slate grey : gris ardoise

to shape : former
to shrink* : rétrécir
to dye : teindre
to fade : se décolorer

⬜ UN PEU DE CONVERSATION

- They come in all shapes and sizes.
  Il y en a une variété infinie.

- You told me the colours wouldn't run. But look!
  Some of the colour of the shirt has come out onto
  the socks.
  Vous m'avez dit que les couleurs ne déteindraient pas.
  Mais regardez : la chemise a déteint sur les chaussettes.

- I didn't sleep well, the walls of my room are
  paper-thin.
  Je n'ai pas bien dormi, les murs de ma chambre sont minces
  comme du papier.

La cuisine, les repas

VIANDES, POISSONS, ŒUFS, FROMAGES

pork /pɔːk/ ❖ **beef** /biːf/ ❖ **mutton** /'mʌtn/ ❖ **bacon** /'beɪkn/ ❖ **steak** /steɪk/ ❖ **sardine** /sɑːˈdiːn/ ❖ **sole** /səʊl/ ❖ **crab** /kræb/ ❖ **salmon** /'sæmən/

meat /miːt/ : (de) la viande
veal : du veau
lamb /læm/ : de l'agneau
poultry /'pəʊltri/ : de la volaille
free range chickens : des poulets élevés en plein air
battery chickens : des poulets de batterie
turkey : de la dinde
goose : de l'oie
a goose [pl. *geese*] : une oie
duck : du canard
ham : du jambon
a sausage /'sɒsɪdʒ/ : une saucisse
a chop /tʃɒp/ : une côtelette
a joint : un rôti
game : le gibier
kidneys : des rognons
liver : du foie

fish : le poisson, du poisson
tuna /'tjuːnə/ : du thon
cod /kɒd/ : du cabillaud
a trout /traʊt/ : une truite
a herring : un hareng
(smoked) salmon : du saumon (fumé)
a scale /skeɪl/ : une écaille
a (fish)bone : une arête
a fin : une nageoire

seafood : des fruits de mer
a shellfish : un crustacé
a lobster : un homard
a shrimp : une crevette
prawns /prɔːnz/ : des crevettes roses, du bouquet
mussels /mʌslz/ : des moules
a scallop : une coquille Saint-Jacques
an oyster : une huître
a shell : une coquille

a boiled egg : un œuf à la coque
a hard-boiled egg : un œuf dur
scrambled eggs : des œufs brouillés
a fried egg : un œuf sur le plat

goat's / sheep's milk cheese : du fromage de chèvre / de brebis
full-fat / low-fat cheese : du fromage entier / allégé
cottage cheese : du fromage blanc
grated /'greɪtɪd/ **cheese** : du fromage râpé

lean /liːn/ : maigre
fat : gras
tender : tendre
tough /tʌf/ : dur

FRUITS ET LÉGUMES

fruit /fruːt/ ❖ peach /piːtʃ/ ❖ banana /bəˈnɑːnə/ ❖ melon /ˈmelən/
❖ carrot /ˈkærət/ ❖ tomato /təˈmɑːtəʊ/ ❖ salad /ˈsæləd/

a tangerine : une clémentine
a lemon : un citron
a lime /laɪm/ : un citron vert
a grapefruit : un pamplemousse
a berry : une baie
a cherry : une cerise
an apple /ˈæpl/ : une pomme
a pear /peə/ : une poire
a peach : une pêche
a plum : une prune
grapes /greɪps/ : du raisin
a pineapple /ˈpaɪnæpl/ : un ananas
a hazelnut /ˈheɪzlnʌt/ : une noisette
a chestnut : un marron
a walnut /ˈwɔːlnʌt/ : une noix
peanuts : des cacahuètes
peel : l'écorce, le zeste
a pip, a stone : un noyau
stewed /stjuːd/ fruit :
de la compote
a potato : une pomme de terre
beans : des haricots

peas : des petits pois
cabbage : du chou
lettuce /ˈletɪs/ : de la laitue
herbs : des fines herbes
an asparagus : une asperge
cauliflower /ˈkɒlɪˌflaʊə/ : du chou
fleur
spinach /ˈspɪnɪtʃ/ : des épinards
maize [GB] / corn [US] : du maïs
a mushroom : un champignon
a cucumber : un concombre
an olive : une olive

ripe /raɪp/ : mûr
not ripe : vert
bitter : amer
hard : dur
soft : doux
juicy : juteux

to bite* : mordre
to gather : cueillir [fruits]

INGRÉDIENTS ET CONDIMENTS

salt /sɔːlt/ ❖ pepper /ˈpepə/ ❖ oil and vinegar /ɔɪl ənd ˈvɪnɪgə/ ❖ cream
/kriːm/ ❖ sugar /ˈʃʊgə/

flour /flaʊə/ : la farine
yeast /jiːst/ : de la levure
seasoning : l'assaisonnement
spices : les épices
garlic : l'ail
parsley : le persil
basil /ˈbæzl/ : le basilic
mustard : de la moutarde

salad cream : de la sauce
mayonnaise
a sweetener : un édulcorant

sweet : sucré
sour /saʊə/ : aigre
mild /maɪld/ : doux
spicy /ˈspaɪsi/ : épicé

UN PEU DE CONVERSATION

- Chicken korma is not so hot as vindaloo curry.
  Le korma de poulet n'est pas aussi fort que le curry vindaloo.

- I wouldn't eat horse for a million dollars.
  Pour rien au monde je ne mangerais du cheval.

- Which dressing do you prefer: French dressing
  or blue cheese?
  Quelle sauce de salade préfères-tu : vinaigrette ou sauce
  au roquefort?

- Which flavour would you like: strawberry, raspberry
  or blackcurrant?
  Quel parfum voudriez-vous : fraise, framboise ou cassis?

- I wonder why leek is the emblem of Wales.
  Je me demande pourquoi le poireau est l'emblème du pays
  de Galles.

LA CUISINE

VOUS LES CONNAISSEZ. SAVEZ-VOUS LES PRONONCER ?
barbecue /'bɑːbɪkjuː/ ❖ to barbecue /'bɑːbɪkjuː/

a recipe /'resɪpi/ : une recette
the leftovers : les restes

cutlery : les couverts
a knife [pl. *knives*] : un couteau
a spoon : une cuillère
a fork : une fourchette

a ladle /'leɪdl/ : une louche
a strainer : une passoire

a frying pan : une poêle (à frire)
a saucepan : une casserole
a lid : un couvercle
a handle : une poignée
a dish : un plat
a bowl /bəʊl/ : un bol, un saladier
a container : un récipient,
une barquette

a tin opener [GB] / can opener
[US] : un ouvre-boîtes
a cork : un bouchon

a cap, a top : une capsule,
un bouchon
kitchen roll : de l'essuie-tout
kitchen foil : du papier aluminium
cling film : du film transparent

to peel : peler, éplucher
to chop, to mince : hacher
to slice : couper (en tranches)
to pour /pɔː/ : verser
to beat* : battre
to mix, to blend : mélanger

to cook : (faire) cuire, cuisiner
to heat /hiːt/ : chauffer
to warm up : faire (ré)chauffer
to (deep-)fry /'diːpfraɪ/ : faire frire
to bake /beɪk/ : cuire au four
to boil : (faire) bouillir
to grill, to broil : griller
to burn : (laisser) brûler

▸ LES VOYAGES P. 219

- Preheat the oven to 180°C (350F).
  Préchauffez le four à 180°.

- How long should I allow it to simmer?
  Je dois laisser mijoter combien de temps?

- Grate the carrots and put them in a saucepan
  with vegetable stock and butter.
  Râpez les carottes et mettez-les dans une casserole avec
  du bouillon de légumes et du beurre.

- Dinner is ready! I laid (set) the table for four.
  À table! J'ai mis quatre couverts.

- Shall I clear the table?
  Veux-tu que je débarrasse la table?

- I'll put the kettle on for some tea.
  Je vais faire chauffer de l'eau pour le thé.

10 Les courses

À LA BANQUE

bank /bæŋk/ ❖ cheque (check) /tʃek/ ❖ credit /'kredɪt/ ❖ cash /kæʃ/

a banknote [GB] / a bill [US] :
un billet de banque
a coin : une pièce (de monnaie)
change : de la monnaie
a currency /'kʌrənsi/ : une devise

a chequebook [GB] / checkbook
[US] : un chéquier
a charge card : une carte de
paiement
a cashpoint [GB] / an ATM [US] :
un distributeur automatique
a PIN (Personal Identification
Number) : un numéro de code

a (current) account : un compte
(courant)

savings : des économies
a loan : un prêt
a mortgage /'mɔːgɪdʒ/ : un prêt
immobilier
a share /ʃeə/ : une action
a transfer : un virement
a debt /det/ : une dette
an overdraft : un découvert

to withdraw* : retirer
to lend* : prêter
to borrow from : emprunter à
to repay*, to pay* back, to
reimburse : rembourser
to invest : investir, placer
de l'argent

UN PEU DE CONVERSATION

- Could you type your PIN, please?
  Pourriez-vous saisir votre code, s'il vous plaît?

- You have to write him a cheque for £100.
  Tu dois lui faire un chèque de 100 livres.

- I'm sorry I can't help you. I'm 200 euros in the red.
  Je suis désolé de ne pas pouvoir t'aider. J'ai 200 euros
  de découvert.

- What's the current exchange rate of the dollar?
  Quel est le taux de change actuel du dollar?

DANS LES MAGASINS

price /praɪs/ ❖ slogan /'sləʊgən/ ❖ discount /'dɪskaʊnt/

trade /treɪd/ : le commerce
online business : le commerce
en ligne
a consumer : un consommateur
consumer society : la société
de consommation
consumption : la consommation
the cost of living : le coût de la vie

hype /haɪp/ : un battage publicitaire
a signboard : une enseigne
a hoarding [GB] / a billboard [US] :
un panneau publicitaire
a folder : un dépliant
a coupon, a voucher /'vaʊtʃə/ :
un bon de réduction

a product : un produit
a retailer : un détaillant
a wholesaler /'həʊlˌseɪlə/ :
un grossiste
a customer, a patron /'peɪtrən/ :
un client
a purchase /'pɜːtʃəs/ : un achat

chain stores : des magasins
à succursales multiples
a shop [GB] / a store [US] :
un magasin
a shopwindow : une vitrine
a shopping mall : un centre
commercial

a factory outlet : un magasin
d'usine
a bakery /'beɪkəri/, a baker's shop :
une boulangerie
a butcher's shop : une boucherie
a fish shop : une poissonnerie
a delicatessen, a deli : un traiteur,
une épicerie fine

a cash desk, a check-out :
une caisse
a cashier : un caissier
a trolley : un chariot

expensive : cher
fair : raisonnable
cheap /tʃiːp/ : bon marché
economical : économique
free : gratuit
genuine /'dʒenjuɪn/ : authentique
sold out : épuisé

to sell* : vendre
to buy*, to purchase : acheter
to spend* : dépenser
to clear : liquider
to supply /sə'plaɪ/ : fournir
to wrap (up) : envelopper
to deliver : livrer

UN PEU DE CONVERSATION

- What's your favourite brand of cereal?
  Quelle est ta marque préférée de céréales ?

- I'm sometimes attracted by products which say
  "Seen on TV".
  Je suis parfois attiré par les produits marqués « Vu à la télé ».

- Are you in the queue [GB] / in the line [US]?
  Vous faites la queue?

- It's a present. Can you giftwrap it for me, please?
  C'est pour offrir. Vous pouvez me faire un paquet-cadeau?

- Cash or charge?
  Vous payez en espèces ou par carte?

- Here is your receipt. Keep it in case you bring it back.
  Voilà votre ticket de caisse. Gardez-le en cas de retour.

ACHETER DES VÊTEMENTS

VOUS LES CONNAISSEZ. SAVEZ-VOUS LES PRONONCER ?

clothes /kləʊðz/ ❖ **fashion** /ˈfæʃn/ ❖ **sweatshirt** /ˈswetʃɜːt/ ❖ **shoe** /ʃuː/
boots /buːts/ ❖ **cotton** /ˈkɒtn/

a **department store** : un grand magasin
a **department** /dɪˈpaːtmənt/ : un rayon
a **flea market** : un marché aux puces

a **shop assistant**, a **sales clerk** [US] : un(e) vendeur (-deuse)

a **brand** : une marque
a **label** /ˈleɪbl/ : une étiquette [décrivant un produit]
a **tag** : une étiquette [prix]
sales /seɪlz/ : des soldes
a **bargain** /ˈbaːɡɪn/ : une affaire

a **garment** : un vêtement
sportswear : les articles de sport
men's wear : les vêtements pour hommes
children's wear : les vêtements pour enfants

a **coat** : un manteau
a **jacket** : une veste
a **shirt** : une chemise
a **tie** /taɪ/ : une cravate
a **suit** /suːt/ : un costume

a **jumper**, a **sweater** /ˈswetə/ : un pull
a **dress** : une robe
a **skirt** : une jupe
a **blouse** : un chemisier
a **scarf** [pl. scarves] : un foulard, une écharpe
a **pair of trousers** [GB] / **of pants** [US] : un pantalon
a **belt** : une ceinture

tights /taɪts/ : un collant
a **bra** : un soutien-gorge
knickers [GB] / **panties** [US] : une culotte [femme]
underpants : un slip [homme]

socks : des chaussettes
loafers : des mocassins
slippers : des pantoufles

leather /ˈleðə/ : du cuir
denim : du jean [tissu]
wool : de la laine
silk : de la soie

loose /luːs/ : ample
tight /taɪt/ : serré
casual : décontracté, sport

trendy : branché
smart : chic
old-fashioned : démodé

to go* window-shopping :
faire du lèche-vitrines

to try on : essayer [vêtement]
to fit : bien aller [taille]
to suit : bien aller [couleur, forme...]
to match : aller bien avec

UN PEU DE CONVERSATION

- "Can I help you?" "Thanks, I'm just browsing."
  «Vous désirez quelque chose? – Merci, je regarde seulement.»

- These T-shirts come in four sizes.
  Ces tee-shirts sont disponibles en quatre tailles.

- Jeans will never go out of fashion.
  Le jean ne passera jamais de mode.

- Those Bermuda shorts are two sizes too big.
  Ce bermuda est trop grand de deux tailles.

- This pair of jeans is too tight round the waist.
  I'll take it back to the shop and try to get a refund.
  Ce jean est trop serré à la taille. Je vais le rapporter à la boutique
  et essayer de me le faire rembourser.

- I need a new rucksack but I'll wait until the sales
  are on.
  J'ai besoin d'un nouveau sac à dos mais je vais attendre
  les soldes.

(11) Les médias, les loisirs

LA PRESSE ÉCRITE

newspaper /ˈnjuːzˌpeɪpə/ ❖ **journalist** /ˈdʒɜːnəlɪst/ ❖ **magazine** /ˌmægəˈziːn/

information /ˌɪnfəˈmeɪʃn/ : l'information [voir p. 55]
censorship : la censure
quality press : la presse de qualité
gutter press : la presse à scandale
a daily : un quotidien
a weekly : un hebdomadaire
a monthly : un mensuel

an issue /ˈɪʃuː/ : un numéro
a subscription : un abonnement
a copy : un exemplaire

a topic : un sujet
an inquiry /ɪnˈkwaɪəri/ : une enquête
current affairs : l'actualité

the headlines : les gros titres
a heading /ˈhedɪŋ/ : un titre
a column /ˈkɒləm/ : une rubrique, une chronique

an ad(vertisement) : une publicité
a classified /ˈklæsɪfaɪd/ ad : une petite annonce
a cartoon : un dessin humoristique
a caricature, a satirical cartoon : une caricature
a photograph (a photo) : une photo
a photographer : un(e) photographe

(un)biased /ʌnˈbaɪəst/ : (im)partial
significant : important, significatif
dependable : fiable
trivial /ˈtrɪviəl/ : sans importance

to report (on) : faire un reportage (sur)
to cover : assurer la couverture de
to quote : citer
to censor : censurer

UN PEU DE CONVERSATION

- There's a small item about her on page 14.
  Il y a un petit article sur elle page 14.

- The accident wasn't even reported in the papers.
  L'accident n'a même pas été mentionné dans les journaux.

- I enjoy reading glossies but they are awfully expensive.
  J'aime bien lire les magazines de luxe mais ils sont terriblement chers.

LA RADIO ET LA TÉLÉVISION

documentary /ˌdɒkjuˈmentri/ ❖ **DVD** /ˌdiːviːˈdiː/

the news : les nouvelles [voir p. 55]

a piece of news : une nouvelle

a TV set : un poste de télévision
a screen : un écran
the remote (control) :
la télécommande
an aerial /ˈeəriəl/ [GB], an antenna
[US] : une antenne
a satelite /ˈsætəlaɪt/ dish :
une antenne parabolique
a (pay) TV channel /ˈtʃænl/ :
une chaîne (à péage)
a radio/TV programme [GB] /
program [US] : une émission
de radio/télé
a newscast : un bulletin
d'information
a television (TV) serial /ˈsɪəriəl/ :
un feuilleton télévisé
a television (TV) series /ˈsɪəriːz/ :
une série télévisée

a game / quiz show : un jeu
télévisé
a commercial : un spot publicitaire

a listener : un(e) auditeur/-trice
a TV viewer /ˌtiːˈviː ˈvjuːə/ :
un(e) téléspectateur/-trice
the (audience) ratings : les indices
d'écoute
an anchorman/-woman :
un(e) présentateur/-trice
a host : un(e) animateur/-trice

live /laɪv/ : en direct
dull /dʌl/ : morne
thrilling : palpitant

to channel-hop : zapper
to record /rɪˈkɔːd/ : enregistrer
to broadcast* : diffuser, émettre
to rerun* : rediffuser
to watch television : regarder
la télévision

UN PEU DE CONVERSATION

- Stay tuned! The news is next, after the break.
  Restez avec nous. Les informations vont suivre après la publicité.

- Can you turn the TV down, please? I'm trying to
  work.
  Tu peux baisser le son de la télé, s'il te plaît? J'essaie
  de travailler.

- "What's on tonight?" "Absolutely nothing, as usual."
  « Qu'est-ce qu'il y a ce soir? – Absolument rien, comme
  d'habitude. »

- I'm not going to watch the serial tonight,
  it's a repeat.
  Je n'ai pas l'intention de regarder le feuilleton ce soir,
  c'est une rediffusion.

AU CINÉMA, AU THÉÂTRE, AU CONCERT

VOUS LES CONNAISSEZ. SAVEZ-VOUS LES PRONONCER ?

cartoon /kɑːˈtuːn/ ❖ **opera** /ˈɒprə/ ❖ **theatre** /ˈθɪətə/

entertainment : les divertissements

a cinema [GB] / **a movie theater** [US] : un cinéma
a film [GB] / **a movie** [US] : un film
a blockbuster :
une superproduction
a dubbed film : un film doublé
a preview : une avant-première
a trailer : une bande-annonce
a script, a screenplay : un scénario
subtitles /ˈsʌbˌtaɪtlz/ : des sous-titres
an actor / an actress : un acteur /
une actrice
a (film) director : un réalisateur

a shot : un plan
a close-up shot : un gros plan
a low-angle shot :
une contre-plongée

a play : une pièce
the plot : l'intrigue
a character : un personnage
a dramatist, a playwright :
un auteur dramatique
a show : un spectacle

the cast : la distribution
a performance : une représentation
a stage /steɪdʒ/ : une scène
the wings /wɪŋz/ : les coulisses
the audience : les spectateurs

a concert hall : une salle de concert
an orchestra : un orchestre
(classique)
a band : un orchestre (de jazz),
un groupe (de rock)
a choir /kwaɪə/ : une chorale
the rhythm : le rythme
the lyrics : les paroles

entertaining : distrayant
tedious /ˈtiːdiəs/, **boring** : ennuyeux
trendy : à la mode
weird /wɪəd/, **odd** : bizarre

to rehearse /rɪˈhɜːs/ : répéter
(un rôle)
to perform : interpréter (un rôle)
to act : jouer (un rôle)
to star (in) : être la vedette (dans)
to attend : assister à
to applaud /əˈplɔːd/ : applaudir

UN PEU DE CONVERSATION

- Do you know when his next film will be released?
  Sais-tu quand sortira son prochain film ?

- It has become one of the most-quoted films
  of the 21st century. It's brilliant. It's a film definitely
  not to be missed.
  C'est devenu l'un des films les plus cités du XXIᵉ siècle.
  Il est génial. C'est un film qu'il ne faut vraiment pas rater !

- The novel was excellent but the film they made
  from it was a complete flop.
  Le roman était excellent mais le film qu'ils en ont tiré a été
  un bide total.

- Can I book seats online?
  Est-ce que je peux réserver des places par Internet?
- You can collect your tickets at the box office.
  Vous pouvez passer prendre vos billets au guichet [de la salle de spectacle].
- Interested in a season ticket? Apply online now.
  Une carte d'abonnement vous intéresse? Demandez-la en ligne maintenant.
- The cast was / were fine but the direction was poor.
  La distribution était bonne, mais la mise en scène était médiocre.
- Does the play have a happy ending?
  Est-ce que la pièce finit bien (a un *happy end*)?

LES LIVRES, LES MUSÉES

VOUS LES CONNAISSEZ. SAVEZ-VOUS LES PRONONCER ?

read /riːd/ / read /red/ / read /red/ ❖ science fiction /saɪəns ˈfɪkʃn/
❖ thriller /ˈθrɪlə/ ❖ portrait /ˈpɔːtrət/ ❖ museum /mjuˈziːəm/
❖ hero /ˈhɪərəʊ/ ❖ heroine /ˈherəʊɪn/ ❖ sculpture /ˈskʌlptʃə/

a paperback : un livre de poche
a hardback : un livre relié / cartonné

a bookshop [GB] / bookstore [US] : une librairie
a bookseller : un(e) libraire
a secondhand bookseller : un(e) bouquiniste
a library /ˈlaɪbrəri/ : une bibliothèque

an author /ˈɔːθə/ : un(e) auteur(e)
a title /ˈtaɪtl/ : un titre
the cover : la couverture
the table of contents : la table des matières

fiction : les œuvres de fiction
a novel : un roman
a short story : une nouvelle

a detective novel : un polar
a comic strip : une bande dessinée
poetry : la poésie

an exhibition : une exposition
a preview : un vernissage
an exhibit : une pièce exposée
a work of art : une œuvre d'art
a masterpiece : un chef-d'œuvre
a picture, a painting : un tableau

committed : engagé
gifted : doué
skilful : habile
commonplace : banal
ugly /ˈʌgli/ : laid
fake /feɪk/ : faux

to depict : dépeindre
to stand for : représenter
to criticize /ˈkrɪtɪsaɪz/ : critiquer

Un peu de conversation

- The main character is a middle-aged woman.
  Le personnage principal est une femme qui a la cinquantaine.

- I wish I could read more but, you know, I'm tied up with my work.
  J'aimerais pouvoir lire davantage mais, tu sais, je suis très prise par mon travail.

- Why do cookery books sell so well?
  Pourquoi les livres de cuisine se vendent-ils si bien?

- The exhibition features more than a hundred works of art.
  L'exposition présente plus de cent chefs-d'œuvre.

- She finds it easy to understand abstract art.
  Elle trouve que c'est facile de comprendre l'art abstrait.

- There's an exhibition of paintings by Renoir on in London.
  Il y a en ce moment à Londres une exposition Renoir.

12 Le sport, la santé

SURVEILLER SA SANTÉ

medicine /'medɪsən/ ✣ aspirin /'æsprɪn/ ✣ ambulance /'æmbjʊləns/

health /helθ/ : la santé
fitness : la forme
natural medicine : la médecine douce
sickness : la maladie
an illness, a disease /dɪ'ziːz/ : une maladie
an injury /'ɪndʒəri/, a wound /wuːnd/ : une blessure
pain, ache /eɪk/ : la douleur
a fever /'fiːvə/, a temperature : de la fièvre
blood pressure : la tension

a cold : un rhume
a sore throat : une angine
a headache /'hedeɪk/ : un mal de tête
(a) toothache /'tuːθeɪk/ : un mal de dents
a decay : une carie
a scratch : une égratignure
a blister : une ampoule
a bruise /bruːz/ : un bleu
a sprain : une entorse

a G.P. (General Practitioner) : un généraliste
a surgery : un cabinet de consultation
the emergency department : les urgences

a nurse /nɜːs/ : un(e) infirmier (ière)
a patient /'peɪʃnt/ : un malade
a dental surgeon : un chirurgien-dentiste
a chemist /'kemɪst/ : un pharmacien

a prescription : une ordonnance
a drug, a medicine : un médicament
a pill : un pilule
a tablet : un comprimé
a pain killer : un analgésique
Band-Aid : un pansement adhésif
a bandage : un pansement
an injection : une piqûre
a scar : une cicatrice

healthy /'helθi/ : en bonne santé
ill, sick : malade
weak : faible
swollen : enflé

to feel* well / bad / ill : se sentir bien / mal / malade
to hurt* : faire mal
to suffer : souffrir
to hurt, to injure oneself : se blesser
to sneeze : éternuer
to breathe /briːð/ : respirer
to cough /kɒf/ : tousser
to throw* up : vomir
to faint : s'évanouir

to look after sb : s'occuper de qqn
to cure /kjʊə/ : soigner
to X-ray : radiographier
to have* a scan : passer un scanner
to have an operation : se faire opérer
to rest : se reposer
to recover : se rétablir
to heal : se cicatriser, guérir

UN PEU DE CONVERSATION

- He couldn't go out last night, he had a splitting headache.

  Il n'a pas pu sortir hier soir, il avait un mal de tête atroce.

- Did you have a flu vaccine this autumn?

  Vous vous êtes fait vacciner contre la grippe cet automne ?

- Quit smoking and go on a diet, you'll feel better!

  Arrêtez de fumer et faites un régime, vous vous sentirez mieux !

- I don't know whether I should have an X-ray or an MRI. What I know is that I don't want to be operated upon.

  Je ne sais pas si je devrais passer une radio ou une IRM. Ce que je sais, c'est que je ne veux pas être opérée.

- They gave me an epidural when I was giving birth. I was so glad I was anesthetized.

  Ils m'ont fait une péridurale pour mon accouchement. J'étais si contente d'être sous anesthésie.

- I'm glad to see you're up and about again.

  Ça fait plaisir de voir que tu es de nouveau sur pied.

FAIRE DU SPORT

VOUS LES CONNAISSEZ, SAVEZ-VOUS LES PRONONCER ?

stadium /ˈsteɪdiəm/ ❖ **tennis** /ˈtenɪs/ ❖ **racket** /ˈrækɪt/ ❖ **cricket** /ˈkrɪkɪt/
❖ **score** /skɔː/ ❖ **record** /ˈrekɔːd/

training, coaching : l'entraînement
fitness : la forme
football [GB] / soccer [US] :
le football
athletics : l'athlétisme
archery /ˈɑːtʃəri/ : le tir à l'arc
fencing : l'escrime
(ice) skating /ˈaɪs skeɪtɪŋ/ :
le patinage (sur glace)
a skating rink : une patinoire
rowing /ˈrəʊɪŋ/ : l'aviron
a race /reɪs/ : une course
an event /ɪˈvent/ : une épreuve
a field, a pitch : un terrain
a team : une équipe

a ref(eree) : un arbitre
a draw : un match nul
the changing-room, the
locker-room : le vestiaire
a tracksuit : un survêtement
a jersey, a shirt : un maillot
a dope test : un contrôle
anti-dopage
rough /rʌf/ : brutal
(un)fair : (in)juste
tired : fatigué
exhausted : épuisé
to warm up : s'échauffer
to pant : haleter

to be* out of breath : être hors d'haleine
to overtake* : devancer, dépasser
to hit* : frapper, taper sur
to kick : donner un coup de pied

to score (a goal) : marquer (un but)
to miss (a goal) : rater (un but)
to win* : gagner
to lose* : perdre
to bet* : parier

UN PEU DE CONVERSATION

- He does weight training at the local gym every Friday night.

  Il fait de la musculation le vendredi soir dans la salle de gym du quartier.

- I haven't practiced for a long time, that's why I'm so rusty.

  Je ne me suis pas entraîné depuis longtemps, voilà pourquoi je suis si rouillé.

- I thought I could beat him but he is more than a match for me.

  Je pensais pouvoir le battre mais je ne fais pas le poids contre lui.

- "Did you do much sport at your school?"
  "Yes, there were lots of sporting facilities."

  « Tu faisais beaucoup de sport au lycée ? – Oui, il y avait beaucoup d'installations sportives. »

- The Six Nations Championship is one of the great sporting events of the year.

  Le Tournoi des Six Nations est un des grands événements sportifs de l'année.

- The stadium is specifically designed for the future World Cup.

  Le stade est spécialement conçu pour la future Coupe du monde.

- It's an annual bicycle race, broken into several stages, in which the winner wears a yellow jersey.

  C'est une course de vélo annuelle, composée de plusieurs étapes, dans laquelle le gagnant porte un maillot jaune.

13 Les lieux qui nous entourent

LA CAMPAGNE, LA MONTAGNE

VOUS LES CONNAISSEZ. SAVEZ-VOUS LES PRONONCER ?

flower /ˈflaʊə/ ❖ river /ˈrɪvə/ ❖ lake /leɪk/ ❖ mountain /ˈmaʊntɪn/
❖ glacier /ˈglæsɪə/

the country /ˈkʌntri/ : la campagne
the landscape : le paysage
the land : la terre
the ground /graʊnd/ : le sol

a cottage /ˈkɒtɪdʒ/ : une petite
maison [à la campagne]
a thatched cottage :
une chaumière
a hedge : une haie
a fence : une barrière, une clôture

a pond : une mare, un étang
a stream /striːm/ : un ruisseau
a hill : une colline
a bank : un talus
a ditch : un fossé
a bush /bʊʃ/ : un buisson
a slope /sləʊp/ : une pente
a wood : un bois

a lane /leɪn/ : un chemin
a path : un sentier
a track : une piste

a mountain top : une cime

a pass : un col

a leaf [pl. *leaves*] : une feuille
a blade of grass : un brin d'herbe
a root : une racine

ivy : du lierre
a mushroom : un champignon
a daisy : une pâquerette,
une marguerite
a daffodil : une jonquille
a poppy : un coquelicot, un pavot
lily-of-the-valley : du muguet

wildlife /ˈwaɪldlaɪf/ : la faune
a sanctuary, a reserve : une réserve

picturesque, quaint : pittoresque
lofty : élevé
snow-capped : couronné de neige
secluded : retiré, à l'écart
quiet : calme
outdoor : de plein air

to climb /klaɪm/ : grimper,
escalader
to hike /haɪk/ : faire des randonnées
▸ L'AGRICULTURE ET LA PÊCHE P. 231

UN PEU DE CONVERSATION

- I prefer country life to life in the city.
  J'aime mieux vivre à la campagne qu'à la ville.

- Bird-watching is his favourite pastime.
  L'observation des oiseaux est son passe-temps préféré.

- Wake up, sweetheart! The early bird catches the worm.
  Lève-toi, mon ange ! L'avenir appartient à ceux qui se lèvent tôt.

LA MER

VOUS LES CONNAISSEZ, SAVEZ-VOUS LES PRONONCER?
ocean /ˈəʊʃn/ ❖ fish /fɪʃ/ ❖ surf /sɜːf/

the sea : la mer
the seaside : le bord de mer
the coast : la côte
the shore : le rivage
a harbour : un port

a beach /biːtʃ/ : une plage
the sand : le sable
pebbles : des galets
a cliff : une falaise
a wave /weɪv/ : une vague
the tide /taɪd/ : la marée
seaweed : les algues
a gull : une mouette

a (sea) shell : un coquillage
a whale /weɪl/ : une baleine
a seal : un phoque
a shark : un requin

rough /rʌf/ : houleux
smooth : calme
shallow : peu profond

to go* for a swim : aller nager
to bathe /beɪð/ : se baigner
to sunbathe : prendre un bain
de soleil
to go scuba diving : faire
de la plongée sous-marine

▸ LA PÊCHE P. 231
▸ LES POISSONS P. 191

UN PEU DE CONVERSATION

- The sea was so rough that we couldn't go out to sea.
  The next day it was smooth and the crossing was
  plain sailing!
  La mer était tellement agitée qu'on n'a pas pu partir en mer.
  Le lendemain, elle était calme et la traversée s'est passée
  comme sur des roulettes!

- Here are two phrases that confirm that England is
  a maritime country: "There are plenty more fish
  in the sea" and "I have other fish to fry".
  Voici deux expressions qui confirment que l'Angleterre est
  un pays maritime : « Un de perdu, dix de retrouvés »
  et « J'ai d'autres chats à fouetter ».

- There's something fishy about this business.
  Il y a quelque chose de louche dans cette histoire.

LES VILLES

the outer /'aʊtə/ suburbs :
la grande banlieue

the suburbs, the outskirts :
la banlieue

a city : une grande ville

a town /taʊn/ : une ville

the city centre [GB] / downtown
[US] : le centre-ville

inner city areas : des quartiers
déshérités

the town hall : la mairie

the mayor : le (la) maire

the police station : le commissariat

a church : une église

a graveyard : un cimetière

a block : un pâté de maisons

a skyscraper : un gratte-ciel

the high street [GB] / the main
street [US] : la rue principale

a one-way street : une rue à sens
unique

an alley, a lane /leɪn/ : une ruelle

a streetlight : un réverbère

the pavement /'peɪvmənt/ [GB] /
the sidewalk [US] : le trottoir

a square /skweə/ : une place

a public garden : un square

a car park, a parking lot [US] :
un parking

the crowd /kraʊd/ : la foule

the passers-by : les passants

a pedestrian /pɪ'destriən/ :
un piéton

a pedestrian / zebra [GB]
crossing : un passage pour piétons

traffic lights : les feux de circulation

a traffic jam : un embouteillage

the rush hour : l'heure de pointe

a taxi, a cab : un taxi

a tram(car) [GB] / a streetcar [US] :
un tramway

the underground [GB] / the
subway [US] : le métro

a fast / non-stop train : un train
rapide / direct

busy /'bɪzi/, lively : animé

noisy : bruyant

crowded /'kraʊdɪd/ : bondé

unsafe : dangereux

to swarm /'swɔːm/ : grouiller

to queue (up) [GB] / line up [US] :
faire la queue

to cross : traverser

to commute : faire la navette

UN PEU DE CONVERSATION

- We live at number 10.
  Nous vivons au numéro 10.

- I enjoy shopping in the new pedestrian precinct.
  J'aime faire des courses dans la nouvelle zone piétonne.

- Can you tell me the way to the post office, please?
  Pouvez-vous m'indiquer le chemin de la poste, s'il vous plaît?
- Turn right at the next crossroads, it's just by the school.
  Tournez à droite au prochain carrefour, c'est tout près de l'école.

LA POLLUTION, LA PROTECTION DE L'ENVIRONNEMENT

VOUS LES CONNAISSEZ, SAVEZ-VOUS LES PRONONCER ?

pollution /pəˈluːʃn/ ❖ **survive** /səˈvaɪv/ ❖ **nuclear** /ˈnjuːklɪə/
❖ **recycle** /ˌriːˈsaɪkl/

a species /ˈspiːʃiːz/ : une espèce
global warming : le réchauffement de la planète
the ozone layer /ˈəʊzəʊn ˈleɪə/ : la couche d'ozone
a spray can : un atomiseur

damage /ˈdæmɪdʒ/ : les dégâts
a threat /θret/, a menace : une menace
a hazard : un danger
conservation, preservation : la sauvegarde

nuclear waste : les déchets nucléaires
litter : les détritus [au sol]
rubbish, trash, garbage : les ordures
a dump : une décharge

an oil tanker : un pétrolier
an oil slick : une nappe de pétrole, une marée noire
a recycling plant : une usine de recyclage
renewable /rɪˈnjuːəbl/ energy : l'énergie renouvelable

spoilt : défiguré
poisonous, toxic : toxique
endangered : menacé d'extinction
tainted : contaminé
disposable : jetable
unpolluted : non pollué
harmless : inoffensif
environment-friendly : respectueux de l'environnement
reusable : réutilisable
well insulated : bien isolé

to threaten /ˈθretn/ : menacer
to endanger, to jeopardize /ˈdʒepədaɪz/ : mettre en danger
to wreck : détruire, démolir
to waste /weɪst/ : gaspiller
to deplete /dɪˈpliːt/ : épuiser
to deforest : déboiser
to damage, to harm : abîmer
to foul /faʊl/, to defile : souiller
to spill* : se déverser
to throw* away : jeter
to dump, to discard, to get* rid of : se débarrasser de

UN PEU DE CONVERSATION

- The selective sorting of household waste makes recycling efficient.
  Le tri sélectif des ordures ménagères rend efficace le recyclage.

- Is much effort made to promote carpooling?
  Est-ce qu'on fait beaucoup d'efforts pour encourager le co-voiturage?

- Some people think that windmills are an eyesore.
  Certains trouvent que les éoliennes sont hideuses.

- Natural resources are running out. That's why we need to use renewable energy.
  Les ressources naturelles s'épuisent. Voilà pourquoi on doit utiliser des énergies renouvelables.

- We've switched to organic farming. We've banned artificial fertilizers, pesticides and nitrates.
  Nous sommes passés à l'agriculture biologique. Nous avons proscrit les engrais chimiques, les pesticides et les nitrates.

- Do you think punishing dumping at sea and degassing would be a solution?
  Pensez-vous que punir le déversement des déchets en mer et le dégazage serait une solution?

- Our firm has invested a lot of money in alternative energy.
  Notre entreprise a beaucoup investi dans l'énergie de substitution.

LA PLUIE, LE VENT, LE FROID

VOUS LES CONNAISSEZ. SAVEZ-VOUS LES PRONONCER ?

tsunami /tsuˈnɑːmi/ ❖ avalanche /ˈævəlɑːntʃ/ ❖ cyclone /ˈsaɪkləʊn/
tornado /tɔːˈneɪdəʊ/

the weather forecast : la météo,
les prévisions météorologiques
a weather /ˈweðə/ report :
un bulletin météo(rologique)

a cloud /klaʊd/ : un nuage
a raindrop : une goutte de pluie
a shower /ʃaʊə/ : une averse
a puddle /ˈpʌdl/ : une flaque d'eau
April showers : les giboulées
de mars
drizzle : le crachin
mist : la brume
fog : le brouillard

a storm : une tempête
a thunderstorm : un orage
the thunder : le tonnerre
a thunderbolt, a clap of thunder :
un coup de tonnerre
a flash of lightning : un éclair
a gust of wind : une rafale de vent
a force 6 gale : un vent de force 6

hail : la grêle
a snowflake : un flocon de neige
ice : la glace, le verglas

an icicle /ˈaɪsɪkl/ : un glaçon
frost : la gelée, le gel

a hurricane : un ouragan
a tidal /ˈtaɪdl/ wave : un raz-de-
marée
a sudden rise in the water level :
une crue subite
flood /flʌd/, flooding :
une inondation
a landslide : un glissement
de terrain

changeable : variable
unsettled : changeant, instable
rainy, wet : pluvieux
cool : frais
chilly : frisquet
bleak /bliːk/ : triste et froid
dull /dʌl/ : gris, triste
icy /ˈaɪsi/ : glacé, glacial
snowbound : bloqué par la neige

to blow* : souffler
to freeze* : geler
to melt, to thaw : fondre

UN PEU DE CONVERSATION

- Could you close the window, please? I'm in
  a draught.
  Tu pourrais fermer la fenêtre, s'il te plaît ? Je suis dans
  un courant d'air.
- The sky is a bit overcast. It looks like rain.
  Le ciel est un peu couvert. On dirait qu'il va pleuvoir.

- It was raining cats and dogs (buckets). I got soaked (drenched) to the skin.

  Il pleuvait des cordes. J'ai été trempé jusqu'aux os.

- "What's the weather like in Dublin?" "It's pouring (with rain)."

  « Quel temps fait-il à Dublin ? – Il pleut à verse. »

- I'm freezing, chilled to the bone.

  Je suis gelé, transi de froid.

- We were snowed in for two weeks last winter.

  Nous avons été bloqués par la neige pendant deux semaines l'hiver dernier.

- Most of the destruction was caused by a 10-foot high tidal wave. Fortunately, no one was killed even though many people were injured.

  Un raz de marée de dix mètres de haut a été à l'origine de la plupart des destructions. Heureusement, personne n'a été tué mais il y a eu beaucoup de blessés.

- The flood damage is estimated to have cost several million euros.

  On estime que les dégâts de l'inondation ont coûté plusieurs millions d'euros.

- They won by a landslide victory.

  Ils ont remporté une victoire écrasante.

LE BEAU TEMPS, LE SOLEIL, LA CHALEUR

a rainbow : un arc-en-ciel
a sunny spell, a bright interval : une éclaircie
sunshine : le soleil [la lumière du soleil]
warmth : la chaleur [douce]
a heat wave : une vague de chaleur
dog days : la canicule
drought /draʊt/ : la sécheresse
arson : un incendie volontaire
a fire : un feu, un incendie

hot : très chaud
warm : chaud, doux
bright : radieux, éclatant
clear : clair, pur
dry : sec

humid /'hjuːmɪd/, damp : humide
close : lourd, mal aéré
stifling /'staɪflɪŋ/ : étouffant
sultry : lourd, étouffant

NOTEZ BIEN

–10° Celsius = 14° Fahrenheit	10° Celsius = 50° Fahrenheit
0° Celsius = 32° Fahrenheit	20° Celsius = 68° Fahrenheit

UN PEU DE CONVERSATION

- The sky is bright, let's make the most of it.
  Le ciel est dégagé. Profitons-en.
- On a clear day you can see Dover.
  Par temps clair, on peut voir Douvres.
- The weatherman said it would clear up
  in the afternoon, after a few scattered showers.
  M. Météo a dit que ça allait s'éclaircir dans l'après-midi
  après quelques ondées éparses.
- It was scorching hot last week, we had to sit in the
  shade every afternoon.
  Il faisait une chaleur torride la semaine dernière, on a dû rester
  assis à l'ombre tous les après-midi.
- San Francisco is in an earthquake zone.
  San Francisco est dans une zone sujette aux tremblements
  de terre.

LE JOUR ET LA NUIT

VOUS LES CONNAISSEZ. SAVEZ-VOUS LES PRONONCER ?
morning /'mɔːnɪŋ/ ❖ **afternoon** /ˌɑːftə'nuːn/ ❖ **evening** /'iːvnɪŋ/

(at) daybreak, dawn /dɔːn/ : (à) l'aube, l'aurore
the sunrise : le lever du soleil
a sunset : un coucher de soleil
dusk, twilight /'twaɪlaɪt/ : le crépuscule
at nightfall : à la tombée de la nuit
tonight /tə'naɪt/ : ce soir

all day / night (long) : toute la journée / nuit

last night : hier soir, la nuit dernière
by night : de nuit

tomorrow morning : demain matin
the morning before : la veille au matin
yesterday afternoon : hier après-midi
the day before yesterday : avant-hier

LA MESURE DU TEMPS

VOUS LES CONNAISSEZ. SAVEZ-VOUS LES PRONONCER ?
minute /'mɪnɪt/ ❖ **week** /wiːk/ ❖ **month** /mʌnθ/ ❖ **quarter** /'kwɔːtə/
❖ **year** /jɪə/ ❖ **century** /'sentʃri/ ❖ **millennium** /mɪ'leniəm/

a (wrist)watch : une montre (-bracelet)
a stopwatch : un chronomètre
a clock : une horloge
an alarm clock : un réveil

the hand : l'aiguille
the dial /'daɪəl/ : le cadran

the time difference : le décalage horaire

jet lag : la fatigue due au décalage horaire
daylight saving time : l'heure d'été

to be* on time : être à l'heure
to arrive in time : arriver à temps
to be early : être en avance
to be late : être en retard

UN PEU DE CONVERSATION

- He got home in the early (small) hours (of the morning).
  Il est rentré au petit matin.
- Don't worry. I'll do it first thing in the morning.
  Ne t'en fais pas. Je le ferai demain à la première heure.

- I usually take a nap in the afternoon.
  Je fais habituellement une sieste l'après-midi.
- We celebrated far into the night.
  Nous avons fait la fête jusque tard dans la nuit.

DIRE L'HEURE

5:00
It's five (o'clock).

It's about five.
Il est environ cinq heures.

8:00
It's eight (o'clock).

It's 8 o'clock sharp.
Il est 8 heures précises.

12:00
It's twelve (p.m.).
(It's noon. It's midday.)

It's twelve (a.m.).
(It's midnight.)

It's dead on twelve.
Il est midi pile.

8:30
It's eight thirty.
It's half past eight.

6:15
It's six fifteen.
It's a quarter past six.

9:45
It's nine forty five.
It's a quarter to ten.

3:02
It's three oh two.
It's two minutes past three.

1:57
It's one fifty seven.
It's three minutes to two.

a.m. (ante meridiem) : du matin
3 a.m. : 3 heures du matin

p.m. (post meridiem) :
de l'après-midi
7 p.m. : 7 heures du soir

UN PEU DE CONVERSATION

- By my watch it is precisely one o'clock.
  À ma montre, il est exactement une heure.
- My watch is fast; yours is slow.
  Ma montre avance ; la tienne retarde.
- I was so tired I slept round the clock.
  J'étais si fatigué que j'ai fait le tour du cadran.
- Did you set the alarm clock for 7 o'clock?
  As-tu mis le réveil à 7 heures ?
- (How) time flies!
  Comme le temps passe !

LE PASSÉ, LE PRÉSENT ET L'AVENIR

VOUS LES CONNAISSEZ. SAVEZ-VOUS LES PRONONCER ?

present /'preznt/ ❖ future /'fju:tʃə/ ❖ obsolete /'ɒbsəli:t/
❖ archaic /ɑː'keɪɪk/ ❖ contemporary /kən'temprəri/

the past : le passé
B.C. (before Christ) : avant J.-C.
A.D. (Anno Domini) : après J.-C.
an event /ɪ'vent/ : un événement

fate /feɪt/ : le destin, la fatalité
the current month / year : le mois
/ l'année en cours
in the near future : dans un proche
avenir
next time : la prochaine fois
in the long run : à long terme,
à la longue
the deadline : la date limite

short-lived : de courte durée
brief /bri:f/ : bref, passager
momentary : momentané
provisional, temporary : provisoire
endless : sans fin

daily : quotidien, tous les jours
up to date : moderne, au goût
du jour
current /'kʌrənt/ : actuel
old-fashioned : démodé
out of date, outdated : démodé,
dépassé

in those days : en ce temps-là
formerly : autrefois
lately, recently : récemment
from then on : à partir de
ce moment-là

currently : en ce moment
these days, nowadays, in this day
and age : de nos jours
from now on : dorénavant

soon : bientôt
sooner or later : tôt ou tard

now and then, from time to time :
de temps en temps
for ages : pendant un temps fou

to go* on : continuer
to keep* (on) doing sth : continuer
à faire qqch.
to last : durer
to expect, to anticipate :
s'attendre à
to look forward to : attendre
avec impatience
to postpone : repousser
to be* on schedule /'ʃedju:l/,
/'skedju:l/ : être dans les temps

UN PEU DE CONVERSATION

- Let bygones be bygones.
  Oublions le passé ! (Passons l'éponge !)
- That's when he said "It's now or never!"
  C'est à ce moment-là qu'il a dit : « C'est maintenant ou jamais ! »
- In present-day Ireland things are completely
  different.
  Dans l'Irlande d'aujourd'hui les choses sont totalement
  différentes.

- The outlook (for them) is rather rosy.
  Les choses se présentent assez bien (pour eux).
- I'm afraid it's too good to last.
  Je crains que ce ne soit trop beau pour durer.
- Stay focussed. Your future is at stake.
  Reste concentré. Ton avenir est en jeu.
- We don't know what the future has in store
  (holds) for us.
  Nous ne savons pas ce que l'avenir nous réserve.

16 Les voyages

SE DÉPLACER EN VOITURE

a truck, a lorry [GB] : un camion
a 4WD (4-wheel drive) : un 4x4
a driving licence, a driver's license [US] : un permis de conduire

the bonnet [GB] / the hood [US] : le capot
a windscreen [GB] / a windshield [US] : un pare-brise
the boot [GB] / the trunk [US] : le coffre
a number [GB] / license [US] plate : une plaque d'immatriculation
a tyre /taɪə/ [GB] / a tire [US] : un pneu
a bumper : un pare-chocs
a horn, a hooter : un klaxon
an indicator : un clignotant
a seat belt : une ceinture de sécurité
a steering wheel : un volant
a brake /breɪk/ : un frein

a lane /leɪn/ : une file, une voie
a ring road, an orbital, a beltway [US] : un périphérique
a motorway, a freeway [US] : une autoroute

a tollgate : un péage
a lay-by : une aire de stationnement sur le bas-côté
a diversion /daɪˈvɜːʃn/ : une déviation
a bend : un virage
a roundabout : un rond-point
a crossroads : un carrefour

a breakdown : une panne
petrol /ˈpetrəl/ [GB] / gas [US] : de l'essence
a parking fine / ticket : une contravention

unleaded /ʌnˈledɪd/, leadfree : sans plomb
careless, reckless : imprudent
slippery /ˈslɪpəri/ : glissant

to hire, to rent : louer
to get* into / out of a car : monter en / descendre de voiture
to change gear /gɪə/ : changer de vitesse
to back : faire marche arrière
to overtake*, to pass : doubler
to skid : déraper
to slow down : ralentir
to hoot : klaxonner

UN PEU DE CONVERSATION

- Buckle up [US] / Fasten your seat belt, please, even if you're sitting in the rear.
  Attachez votre ceinture, s'il vous plaît, même si vous êtes assis à l'arrière.

- Yield [US] / Give way [GB] to traffic on the left.
  Priorité à gauche.
- I'm in the wrong lane.
  Je ne suis pas dans la bonne file.
- Dual carriageway [GB] / four-lane road ahead.
  Début d'une route à quatre voies.
- He was booked again for speeding yesterday.
  Il a encore eu une contravention pour excès de vitesse hier.
- I've run out of petrol. Could you give me a lift
  to the next filling (service) station?
  Je suis en panne d'essence. Est-ce que vous pourriez
  me conduire à la prochaine station service?
- Does this hire agreement offer unlimited mileage?
  Est-ce que ce contrat de location offre un kilométrage illimité?

VOYAGER EN TRAIN, EN AVION, EN BATEAU

VOUS LES CONNAISSEZ, SAVEZ-VOUS LES PRONONCER?

passenger /ˈpæsəndʒə/ ✦ **departure** /dɪˈpɑːtʃə/ ✦ **arrival** /əˈraɪvl/
✦ **pilot** /ˈpaɪlət/

travel : les voyages [voir p. 55]
a journey, a trip : un voyage
a route : un itinéraire

a station /ˈsteɪʃn/ : une gare
a platform : un quai
the fare /feə/ : le prix du billet
a single [GB] / **one-way** [US]
ticket : un aller simple
a return [GB] / **round-trip** [US]
ticket : un aller-retour
a connection : une correspondance
a carriage, a coach, a car [US] :
une voiture [train]

a flight : un vol
the departure lounge : la salle
d'embarquement
a gate /geɪt/ : une porte
a boarding pass : une carte
d'embarquement

an aisle /aɪl/ : un couloir
[dans un avion]
a wing /wɪŋ/ : une aile
the cockpit : la cabine [de pilotage]

a liner /ˈlaɪnə/ : un paquebot
a cabin : une cabine [de bateau]

vacant /ˈveɪkənt/ : libre [place]
crowded, packed : bondé
roomy : spacieux

to fly* : voyager en avion
to cancel /ˈkænsəl/ : annuler
to delay : retarder
to stamp : composter
to check in : enregistrer
to take* off : décoller
to land : atterrir

to sail : voyager en bateau
to cruise /kruːz/ : faire une croisière
to be seasick : avoir le mal de mer

UN PEU DE CONVERSATION

- How long in advance should I book for a seat on the Eurostar?
  Combien de temps à l'avance faut-il réserver sa place dans l'Eurostar?

- What time does the next ferry sail?
  À quelle heure part le prochain ferry?

- We'll have to get up early: the check-in is three hours before the time of departure!
  Il va falloir se lever tôt : on enregistre trois heures avant le départ !

- This piece of luggage is too big, it will have to go in the hold.
  Ce bagage est trop volumineux, il faudra le mettre en soute.

- Could I have a window seat, please? I'd like to take pictures.
  Est-ce que je pourrais avoir un siège près d'un hublot, s'il vous plaît? J'aimerais prendre des photos.

SE LOGER, VISITER

VOUS LES CONNAISSEZ. SAVEZ-VOUS LES PRONONCER ?
travel agent /'trævl 'eɪdʒənt/ ❖ passport /'pɑːspɔːt/ ❖ visa /'viːzə/

a package /'pækɪdʒ/ holiday : un voyage organisé
a tour /tʊə/ : une visite
luggage : les bagages [voir p. 55]
a suitcase /'suːtkeɪs/ : une valise
a border : une frontière
the customs [sg ou pl.] : la douane
a resort /rɪˈzɔːt/ : un lieu de séjour
a camp(ing) site : un camping
a bed-and-breakfast : une chambre d'hôte
an inn : une auberge
a vacancy /'veɪkənsi/ : une chambre libre
a single room : une chambre simple

a double room : une chambre double
full board : pension complète

abroad : à l'étranger
remote : lointain
close : proche
non refundable : non remboursable
posh : chic

to escape : s'échapper
to book : réserver
to call at : faire une étape
to go* sightseeing : visiter un endroit
to check in : remplir la fiche d'hôtel
to (un)pack : (dé)faire ses valises
to check out : régler la note

- I'd like to go somewhere off the beaten track.
  J'aimerais aller quelque part hors des sentiers battus.

- They offer tailor-made wildlife journeys.
  Ils proposent des voyages sur mesure pour observer la vie sauvage.

- Would you have accommodation for two people for the weekend?
  Auriez-vous de la place pour deux personnes ce week-end?

- We stayed in a beautiful four-star hotel. We had a room with a sea view. And with derricks.
  Nous étions dans un bel hôtel quatre étoiles. Nous avions une chambre avec vue sur la mer. Et sur des derricks.

- The sign said NO VACANCIES, so there's no need to enquire.
  Le panneau disait COMPLET. Ce n'est donc pas la peine de se renseigner.

AU RESTAURANT

VOUS LES CONNAISSEZ. SAVEZ-VOUS LES PRONONCER?

breakfast /'brekfəst/ ❖ lunch /lʌntʃ/ ❖ dinner /'dɪnə/ ❖ dessert /dɪ'zɜːt/
❖ menu /'menjuː/ ❖ beer /bɪə/

a meal /miːl/ : un repas
a full English breakfast : un petit déjeuner complet à l'anglaise
a tea break /tiː breɪk/ : une pause café
a lunch break : une pause déjeuner
a packed lunch : un panier-repas
junk food : la nourriture industrielle

a diner /'daɪnə/ : un petit restaurant
a takeaway, a takeout [US] : une boutique de plats à emporter
a coffee shop, a teashop, a tearoom : un salon de thé
an all-you-can-eat buffet : un buffet à volonté
a waiter / a waitress : un serveur / une serveuse

an appetizer /'æpɪtaɪzə/ :
un amuse-gueule, un hors-d'œuvre
a starter : un hors-d'œuvre
a course /kɔːs/ : un plat
a three-course meal : un repas qui comporte trois plats

a beverage /'bevrɪdʒ/ : une boisson
sparkling / still water : de l'eau gazeuse / plate
tap water : de l'eau du robinet
a soft drink : une boisson sans alcool
a fizzy drink [GB] / a soda [US] : un soda
fruit juice : un jus de fruit

draught /drɑːft/ **beer** : de la bière pression
lager : de la bière blonde
stout /staut/ : de la bière brune
the wine list : la carte des vins
house wine : la cuvée du patron

the bill [GB] / **the check** [US] : l'addition
a tip : un pourboire

tasty /'teɪsti/ : savoureux
superb /suːˈpɜːb/ : merveilleux [repas]
lavish : somptueux, copieux
light : léger [repas]
heavy : lourd

stodgy : bourratif

raw /rɔː/ : cru
underdone, rare : saignant
medium : à point
well done : bien cuit
overdone : trop cuit
charcoal-grilled : grillé au feu de bois
crisp : croustillant

to be* hungry : avoir faim
to be starving : mourir de faim [fig.]
to be thirsty : avoir soif
to eat* out : manger au restaurant
to dine /daɪn/ : dîner

▸ LA CUISINE P. 193

⬛ UN PEU DE CONVERSATION

- **A table for four, please.**
  Une table pour quatre, s'il vous plaît.

- **Are you all set?** (**Are you ready to order?**)
  Vous êtes prêts à commander? (Vous avez choisi?)

- **I'll have the day's special for my main course.**
  Comme plat principal, je prendrai le plat du jour.

- **How would you like your steak cooked?**
  Quelle cuisson pour votre steak?

- **Can we have the bill, please?**
  Vous pouvez nous donner l'addition, s'il vous plaît?

- **Service is not included.**
  Le service n'est pas compris.

LE SYSTÈME ÉDUCATIF

VOUS LES CONNAISSEZ. SAVEZ-VOUS LES PRONONCER ?

university /juːnɪˈvɜːsɪti/ ❖ **pupil** /pjuːpl/ ❖ **student** /ˈstjuːdnt/
❖ **teacher** /ˈtiːtʃə/ ❖ **uniform** /ˈjuːnɪfɔːm/ ❖ **science** /ˈsaɪəns/

a school : une école / une université [US]

a nursery school : une école maternelle

a primary /ˈpraɪməri/ school : une école primaire

a comprehensive [GB] / high [US] school : un établissement d'enseignement secondaire

a state school : une école publique

a public school : une école privée [GB] / publique [US]

a college : une faculté

a sixth former [GB] : un élève de terminale

the headmaster / headmistress : le directeur / la directrice, le proviseur

a lecturer : un maître de conférences

a professor : un professeur d'Université

a subject : une matière, un sujet

a class, a period : un cours

a lecture /ˈlektʃə/ : un cours magistral

tuition /tjuˈɪʃn/ fees : les frais de scolarité

a scholarship, a grant [GB] : une bourse d'études

a term : un trimestre

gifted, talented : doué
hard-working : travailleur
absent-minded : distrait
disruptive : perturbateur
strict : sévère
lenient /ˈliːniənt/ : indulgent

to educate : éduquer [école]
to bring* up : éduquer, élever [parents]
to teach* : enseigner
to train : former
to attend a lecture : assister à un cours
to learn* : apprendre
to know* : savoir

NOTEZ BIEN

Ces quatre termes, aux États-Unis, s'appliquent aux lycéens à partir de l'équivalent de la 3e et aux étudiants.

a fresher (freshman) : un élève de 3e, un étudiant de 1re année

a sophomore : un élève de 2de, un étudiant de 2e année

a junior : un élève de 1re, un étudiant de 3e année

a senior : un élève de terminale, un étudiant de dernière année

▶ LA RECHERCHE APPLIQUÉE P. 228

LES EXAMENS

a paper /'peɪpə/ : un devoir
a test : un devoir sur table
a proficiency test : un test
de niveau
a school report : un bulletin scolaire
an examination (exam) :
un examen
a competitive exam : un concours
"A" levels [GB] : examen à la fin
de la terminale
a high-school diploma [US] : un
diplôme de fin d'études secondaires
a degree, a diploma : un diplôme
a bachelor's degree : une licence

a master's degree : un master
a PhD : un doctorat

poor : insuffisant
average : moyen
fair : assez bien
very good : très bien

to assess : évaluer
to sit* [GB], to take* an exam :
se présenter à un examen
to pass : être reçu
to fail : échouer
to graduate : obtenir un diplôme

DANS LA SALLE DE CLASSE

chalk /tʃɔːk/ : de la craie
a (black)board : un tableau (noir)
a marker (pen) : un marqueur
a desk : un bureau

a textbook : un manuel
an exercise book : un cahier
a ruler /'ruːlə/ : une règle
an eraser, a rubber : une gomme
a (ball-point) pen : un stylo (à bille)
a felt pen : un feutre
a pencil : un crayon

a highlighter /'haɪlaɪtə/ :
un surligneur

to write* down : prendre des notes
to improve /ɪm'pruːv/ : faire
des progrès
to behave oneself : bien se
conduire
to deserve : mériter
to reward /rɪ'wɔːd/ : récompenser
to chat /tʃæt/ : bavarder
to suspend : exclure

⬭ Un peu de conversation

- If you want to attend this course, you have
  to register (sign up / enrol) first.
  Si vous voulez assister à ce cours, il faut d'abord vous inscrire.
- You should think twice before dropping maths.
  Tu devrais y réfléchir à deux fois avant d'abandonner les maths.
- She got some good marks (grades) in her continuous
  assessment this term.
  Elle a eu de bonnes notes au contrôle continu ce trimestre.

- Why did you skip yesterday's class?
  Pourquoi as-tu séché le cours d'hier?

- He is very knowledgeable. I was quite surprised
  to learn that he is self-taught.
  Il est très cultivé. J'ai été assez surprise d'apprendre qu'il est
  autodidacte.

- What's the school-leaving age in Britain?
  Jusqu'à quel âge l'école est-elle obligatoire en Grande-Bretagne?

- Do many young people drop out of high school in
  your country?
  Est-ce que beaucoup de jeunes quittent le lycée avant le bac
  dans votre pays?

18 Le travail

LE MONDE DE L'ENTREPRISE

business /ˈbɪznɪs/ ❖ colleague /ˈkɒliːg/ ❖ manager /ˈmænɪdʒə/

the public / private sector :
le public / le privé
a company /ˈkʌmpəni/ : une société
small and medium-sized
enterprises : les PME

a firm : une entreprise
the head office : le siège social
a subsidiary /səbˈsɪdiəri/ : une filiale

the management : la direction
a managing director [GB] / a chief
executive officer (CEO) [US] :
un P-DG
the board of directors : le conseil
d'administration
the sales department : le service
des ventes
an incentive : une incitation
the staff : le personnel

an executive : un cadre

a sales representative :
un commercial
an accountant /əˈkaʊntənt/ :
un comptable
an employee : un employé

the works council / committee :
le comité d'entreprise
a training course : un stage
de formation
a break /breɪk/ : une pause
a luncheon voucher /ˈvaʊtʃə/ :
un ticket repas
a company car : une voiture
de fonction

skilled : qualifié
automated : automatisé

to produce /prəˈdjuːs/ : produire
to buy* up / to take* over a
company : racheter une entreprise
to merge : fusionner

▸ LES COMPOSANTES SOCIALES P. 232

UN PEU DE CONVERSATION

- Can you phone again at office hours, please?
  Pouvez-vous rappeler aux heures de bureau?
- She has been promoted: they've made her General
  Manager as from next week.
  Elle a eu une promotion : à partir de la semaine prochaine,
  elle devient Directrice générale.
- His life has changed since he has worked flexitime.
  Sa vie a changé depuis qu'il a des horaires flexibles.
- How long has he been running this company?
  Depuis combien de temps dirige-t-il cette société?

LA RECHERCHE APPLIQUÉE

to study /'stʌdi/ ❖ **research** /ri'sɜːtʃ/ ❖ **R & D** /ɑː ənd diː/

an engineer /ˌendʒɪ'nɪə/ :
un ingénieur
a scientist /'saɪəntɪst/ :
un scientifique
a thinktank : un groupe d'experts

progress : les progrès
an advance : un progrès
a breakthrough : une grande
découverte
industrial research : la recherche
appliquée
a patent /'pætnt/ : un brevet

brain drain : la fuite des cerveaux
industrial piracy : l'espionnage
industriel

innovative : novateur
efficient : efficace
reliable /ri'laɪəbl/ : fiable
significant : significatif
hazardous /'hæzədəs/ : dangereux

to search for : chercher
to experiment : expérimenter
to carry out an experiment : faire
une expérience
to foresee* : prévoir
to improve /ɪm'pruːv/ : améliorer
to devise /dɪ'vaɪz/ : mettre au point
to tamper with : manipuler, falsifier

UN PEU DE CONVERSATION

- "Would you be ready to take part in this experiment?"
  Serais-tu prêt à participer à cette expérience ?

- Our research is more advanced today, but other labs are catching up with us.
  À l'heure actuelle, nos recherches sont plus avancées mais d'autres laboratoires sont en train de nous rattraper.

- Cloning human beings might have unexpected consequences.
  Le clonage humain pourrait avoir des conséquences inattendues.

- This is really a chicken-and-egg problem.
  C'est vraiment la vieille histoire de l'œuf et de la poule.

- I just can't work it out.
  Ça me dépasse.

L'INFORMATIQUE

VOUS LES CONNAISSEZ. SAVEZ-VOUS LES PRONONCER ?
computer /kəm'pjuːtə/ ❖ **PC (personal computer)** /ˌpiːˈsiː/
❖ **virus** /ˈvaɪərəs/

computer science, computing :
l'informatique
a computer scientist / analyst :
un informaticien
data /ˈdeɪtə/ [pl.] : les données

a laptop : un portable
a screen : un écran
a keyboard /ˈkiːbɔːd/ : un clavier
a mouse /maʊs/ : une souris
a mouse pad : un tapis de souris
a printer : une imprimante

software : les logiciels
a software program / package :
un logiciel
a USB flash drive / connection :
une clé / une connexion USB
a code number : un code d'accès
an update : une mise à jour

computerized : informatisé
state-of-the-art : dernier cri
top-of-the-line / -range : haut
de gamme
time-saving : qui économise
du temps
user-friendly : convivial

to switch on / off : mettre
en route / éteindre
to start up : démarrer
to open / close a file : ouvrir /
fermer un fichier
to run* : exécuter
to save : sauvegarder
to update : mettre à jour
to telecommute /ˌtelɪkəˈmjuːt/ :
télétravailler
to crash : (se) planter

► LE COURRIER ÉLECTRONIQUE ET INTERNET P. 186

UN PEU DE CONVERSATION

- Not being computer-literate is becoming a handicap.
  Ne pas savoir se servir d'un ordinateur devient un handicap.
- Yesterday, I scratched a whole work file, and I have
  no backup!
  Hier, j'ai perdu tout un fichier de travail et je n'ai pas
  de sauvegarde !
- "What's wrong?" "The printer doesn't work."
  « Qu'est-ce qui ne va pas ? – L'imprimante ne marche pas. »
- On this plane, all the seats are equipped with
  a touch screen.
  Dans cet avion, toutes les places sont équipées d'un écran
  tactile.

L'INDUSTRIE

a factory, a plant : une usine
an assembly plant : une usine
de montage
the assembly line : la chaîne
de montage
a textile /'tekstaɪl/ mill : une usine
textile

a workshop : un atelier
a warehouse /'weəhaʊs/ :
un entrepôt
a branch : une succursale

a manufacturer, a maker :
un fabricant

a skilled worker : un ouvrier qualifié
a craftsman : un artisan

maintenance : l'entretien
goods : des produits
spare /speə/ parts : des pièces
détachées
a safety standard : une norme
de sécurité

to produce /prə'djuːs/ : produire
to process : transformer
to handle : manipuler

UN PEU DE CONVERSATION

- He works on an assembly line for a subsidiary
  of a famous carmaker.
  Il travaille sur une chaîne de montage pour une filiale
  d'un constructeur automobile très connu.

- We all know that the current economy relies
  on the computer industry.
  Nous savons tous que l'économie actuelle dépend de l'industrie
  informatique.

- The cost of raw materials has risen significantly.
  Le coût des matières premières a subi une forte augmentation.

- They spent £25 million on R&D (Research
  and Development) last year.
  Ils ont dépensé 25 millions de livres en recherche
  et développement l'an passé.

- At the turn of the century, China's market
  for consumer goods rocketed.
  Au début du siècle, le marché chinois des produits
  de consommation courante a explosé.

L'AGRICULTURE ET LA PÊCHE

VOUS LES CONNAISSEZ, SAVEZ-VOUS LES PRONONCER ?
pesticide /'pestɪsaɪd/ ❖ fertiliser /'fɜːtɪlaɪzə/ ❖ agriculture /'ægrɪkʌltʃə/

farming : l'agriculture
industrial farming : l'agriculture intensive
organic farming : l'agriculture biologique
dairy farming : l'industrie laitière
fish farming : la pisciculture
fishing : la pêche
a trawler /'trɔːlə/ : un chalutier

agricultural implements : l'outillage agricole
a barn : une grange
a greenhouse : une serre
hay : du foin
straw /strɔː/ : de la paille
a seed : une graine
the land : la terre
a field : un champ
a meadow /'medəʊ/ : un pré

a crop : une récolte
the yield : le rendement
a herd : un troupeau [gros animaux]
a flock : un troupeau [moutons, oies...]
cattle /'kætl/ : le bétail
the livestock /'laɪvstɒk/ : le cheptel

wholesome : sain [nourriture]
sustainable : durable

to plough /plaʊ/, to plow [US] : labourer
to sow* /səʊ/ : semer
to reap : moissonner
to grow* (cereals) : cultiver (des céréales)
to harvest : récolter
to pick : cueillir
to breed* : élever
to feed* : nourrir

▸ LA CAMPAGNE P. 207

UN PEU DE CONVERSATION

- Have you ever tried to grow your own tomatoes?
  It's easy and it's fun.
  Est-ce que tu as déjà essayé de faire pousser des tomates ?
  C'est facile et sympa.
- Are you scared of GM food?
  Tu as peur de la nourriture issue d'OGM ?
- How long did your father work on a farm?
  Pendant combien de temps ton père a-t-il travaillé à la ferme ?
- I'd like a dozen free-range eggs, please.
  Je voudrais une douzaine d'œufs de poules élevées en plein air.
- I think battery farming should be outlawed.
  Je pense que l'élevage en batterie devrait être déclaré illégal.

LES COMPOSANTES SOCIALES

VOUS LES CONNAISSEZ. SAVEZ-VOUS LES PRONONCER ?

society /sə'saɪəti/ ❖ poverty /'pɒvəti/ ❖ solidarity /ˌsɒlɪ'dærɪti/
❖ racism /'reɪsɪzm/ ❖ discrimination /dɪˌskrɪmɪ'neɪʃn/

the social scale : l'échelle sociale
a social issue /'ɪʃuː/ : un problème de société
a citizen : un citoyen
a senior citizen : une personne âgée

a two-tier /'tuːtɪə/ society : une société à deux vitesses
the affluent society : la société d'abondance
the ruling class : la classe dirigeante
the upper classes : la grande bourgeoisie
the middle class : la classe moyenne
the working class : la classe ouvrière

an income : un revenu
a wage /weɪdʒ/, a salary : un salaire
a taxpayer : un contribuable
a refugee : un réfugié

an asylum /ə'saɪləm/ seeker : un demandeur d'asile
an illegal worker : un clandestin
a moonlighter : un travailleur au noir
an outcast /'aʊtkɑːst/ : un paria
the homeless : les sans-abri

welfare : l'aide sociale
a shelter : un centre d'accueil, un foyer
a prejudice : un préjugé
a gap : un fossé

privileged : privilégié
wealthy /'welθi/ : riche
well-off : aisé
average /'ævərɪdʒ/ : moyen

uprooted : déraciné
undocumented : sans papiers

to trust : faire confiance à
to improve : améliorer
to relieve : soulager
to depend on : dépendre de

UN PEU DE CONVERSATION

- Would you say that affirmative action can help to bridge the gap between the haves and the have-nots?
  Diriez-vous que la discrimination positive peut aider à combler le fossé entre les nantis et les démunis ?

- Their living standard has improved.
  Leur niveau de vie s'est amélioré.

● There is still a disparity between the salaries
  of men and women.
  Il y a encore une disparité entre le salaire des hommes
  et celui des femmes.

LE TRAVAIL : CONFLITS ET SOLUTIONS

the unemployed : les chômeurs
relocation, outsourcing :
la délocalisation
a job seeker : un demandeur
d'emploi
the dole / unemployment
benefit(s) : l'allocation chômage
an allowance : une indemnité
training : la formation

a trade union : un syndicat
a strike /straɪk/ : une grève
a demonstration :
une manifestation

a covering [GB] / cover [US]
letter : une lettre de motivation

a job interview : un entretien
d'embauche
a pay rise : une hausse de salaire

vacant /'veɪkənt/ : libre, à pourvoir
overworked : surmené

to work overtime : faire des heures
supplémentaires
(to be made) redundant : (être)
licencié pour raisons économiques
to resign /rɪ'zaɪn/ : démissionner
to look for a job : chercher du
travail
to apply (for) : postuler
to hire /haɪə/ : embaucher
to dismiss : licencier
to fire, to sack : virer

▸ LE MONDE DE L'ENTREPRISE P. 227

UN PEU DE CONVERSATION

● Do you think she is fit for the job?
  Tu crois qu'elle est faite pour cet emploi?

● Applicants must speak English fluently.
  Les candidats doivent parler anglais couramment.

● Has the position been filled?
  Ce poste a-t-il été pourvu?

● Many students do odd jobs in order to pay for
  their studies.
  Beaucoup d'étudiants font des petits boulots pour payer
  leurs études.

● He is fed up with the rat race and has decided
  to take early retirement.
  Il en a marre de la compétition acharnée et a décidé
  de prendre une retraite anticipée.

LA LOI, LA JUSTICE

violence /'vaɪələns/ ❖ **crime** /kraɪm/ ❖ **criminal** /'krɪmɪnəl/
❖ **police** /pə'liːs/ ❖ **justice** /'dʒʌstɪs/ ❖ **judge** /dʒʌdʒ/

an offence /ə'fens/ : un délit
a second offence : une récidive

a burglary : un cambriolage

abuse /ə'bjuːs/ : les mauvais
traitements
arson : un incendie volontaire
a riot /raɪət/ : une émeute

a trespasser : un intrus [dans une
propriété privée]
a thief, a robber : un voleur
a theft, a robbery : un vol
a hooligan, a thug : un voyou

a law : une loi
a right : un droit
a law court : un tribunal
the courtroom : la salle d'audience
a case /keɪs/ : une affaire
a trial /traɪəl/ : un procès

the defendant, the accused :
l'accusé
a lawyer, a barrister [GB] / an
attorney [US] : un(e) avocat(e)
the prosecution : la partie
plaignante, l'accusation
a witness : un témoin

evidence : des preuves
a proof : une preuve
guilt /gɪlt/ : la culpabilité
a culprit : un coupable
the verdict : le verdict

a sentence : une peine,
une sentence
a fine /faɪn/ : une amende
a prison, a jail : une prison

law-abiding : respectueux des lois
lawful, legal : légal
unlawful, illegal : illégal
guilty /'gɪlti/ : coupable

underage : mineur
battered : battu [enfant, femme]
tough /tʌf/ : dur, sévère
lenient /'liːniənt/, merciful :
clément, indulgent

to rob sb of sth, to steal* sth from
sb : voler qqch. à qqn
to ransack : piller, saccager
to assault, to mug, to attack :
agresser
to hit*, to strike* : frapper
to ill-treat : maltraiter
to kill : tuer
to shoot* sb : abattre qqn
to murder : assassiner
to slaughter /'slɔːtə/ : massacrer
to rape /reɪp/ : violer

to prosecute : poursuivre en justice
to charge : inculper
to sentence : condamner
to appeal : faire appel
to release /ri'liːs/ : relâcher
to pardon : grâcier
to deter : dissuader

UN PEU DE CONVERSATION

- Is there a points-system driving licence
  (driver's license [US]) in your country?
  Y a-t-il un permis à points dans votre pays?

- Your car will be towed away if you park
  on a double yellow line.
  Ta voiture va être emportée à la fourrière si tu te gares
  sur une double ligne jaune.

- The man claimed that he had been sexually harassed
  by the female manager.
  L'homme a prétendu que la dirigeante de l'entreprise
  l'avait harcelé sexuellement.

- Three suspects were taken into custody
  Monday morning.
  Trois suspects ont été mis en garde à vue lundi matin.

⑳ La politique

LE GOUVERNEMENT ET LA POLITIQUE

power /paʊə/ ❖ **democracy** /dɪ'mɒkrəsi/ ❖ **socialism** /'səʊʃəlɪzm/ ❖ **vote** /vəʊt/ ❖ **parliament** /'pɑːləmənt/

politics /'pɒlɪtɪks/ : la politique, les opinions politiques

a state /steɪt/ : un État
a head of state : un chef d'État

the ruling party : le parti au pouvoir

a policy /'pɒləsi/ : une politique
a (political) platform : un programme (politique)
commitment : l'engagement

a government /'ɡʌvnmənt/ : un gouvernement
a ministry, a department : un ministère
a minister, a secretary : un(e) ministre, un(e) secrétaire d'État

a bill : un projet de loi
a law /lɔː/ : une loi
an Act of Parliament [GB] : une loi votée par le Parlement
the House of Commons [GB] : la Chambre des communes
a Member of Parliament (an MP) [GB] : un député

a Euro /'jʊərəʊ/ **MP** : un député européen

Congress : le Congrès
the House of Representatives [US] : la Chambre des représentants
the Senate [US] : le Sénat

a polling station : un bureau de vote
a ballot paper : un bulletin de vote
an opinion poll : un sondage

conservative : conservateur
labour [GB] : travailliste
middle-of-the-road : centriste

persuasive : convaincant
uncommitted : indécis
mainstream : traditionnel, dominant

to head /hed/ : être à la tête de
to run* for : être candidat à
to elect : élire
to support : soutenir
to side /saɪd/ **with / against** : prendre parti pour / contre

---

☐ UN PEU DE CONVERSATION

- This channel is even-handed in its coverage of election news.
  Cette chaîne est impartiale dans sa manière de couvrir les élections.

- Unemployment will undoubtedly be once more at the centre of the political agenda.
  Le chômage sera sans doute de nouveau au centre de l'ordre du jour politique.
- He holds that people should rely on themselves more.
  Il soutient que les gens devraient davantage se prendre en charge.

LA GUERRE ET LA PAIX

VOUS LES CONNAISSEZ. SAVEZ-VOUS LES PRONONCER ?

enemy /'enəmi/ ❖ soldier /'səʊldʒə/ ❖ attack /ə'tæk/ ❖ resist /rɪ'zɪst/
❖ defend /dɪ'fend/

a war : une guerre
a battle : une bataille
a flag : un drapeau
an ally /'ælaɪ/ [pl. *allies*] : un allié

retaliatory measures /'meʒəz/ :
des mesures de représailles
a deterrent /dɪ'terənt/ : un moyen
de dissuasion
a weapon /'wepən/ : une arme
a gun : un fusil
a sniper /'snaɪpə/ : un tireur
embusqué

the casualties : les morts
et les blessés, les pertes
the death toll : le nombre de morts
the wounded : les blessés
a prisoner of war (POW) :
un prisonnier de guerre
a veteran : un ancien combattant

peace talks : des pourparlers
de paix
an agreement : un accord
a summit : un sommet

civilian : civil
gallant /'gælənt/ : courageux
deadly, lethal /'li:θəl/ : mortel

to fight* : se battre
to invade : envahir
to destroy : détruire
to fire at sb, to shoot* at sb :
tirer sur qqn
to kill : tuer
to shoot down : abattre

to flee* : fuir
to surrender : se rendre
to rescue /'reskju:/ : secourir
to cooperate : coopérer
to ratify /'rætɪfaɪ/ : ratifier

UN PEU DE CONVERSATION

- The police have discovered in time that a bomb had been planted near a supermarket.
  La police a découvert à temps qu'une bombe avait été posée près d'un supermarché.

- Anti-personnel mines should be outlawed.
  Les mines antipersonnel devraient être proscrites.
- The War of American Independence broke out in 1775.
  La Guerre d'indépendance américaine a éclaté en 1775.

LES RELATIONS INTERNATIONALES

VOUS LES CONNAISSEZ, SAVEZ-VOUS LES PRONONCER ?

ambassador /æmˈbæsədə/ ❖ **debt** /det/ ❖ **humanitarian** /hjuːˌmænɪˈteəriən/

the United /juˈnaɪtɪd/ Nations / the UN : les Nations Unies / l'ONU
a power /paʊə/ : une puissance
an embassy : une ambassade

an NGO : une ONG
Doctors without Borders : Médecins sans Frontière

affluence /ˈæfluəns/ : l'abondance
scarcity : le manque, la pénurie
a plight /plaɪt/ : une situation désespérée
help, aid : l'aide

emergency relief /rɪˈliːf/ : l'aide d'urgence
a project, a scheme /skiːm/ : un programme, un projet
fair trade : le commerce équitable

scarce : peu abondant
plentiful : abondant

to run* into debt : s'endetter
to intervene /ˌɪntəˈviːn/ : intervenir
to dispatch : expédier
to deal* out : distribuer
to relieve : soulager

UN PEU DE CONVERSATION

- Oxfam (The Oxford Committee for Famine Relief) provide training in farming methods in poorer countries.
  Oxfam apporte une formation en matière d'agriculture dans les pays les plus pauvres.
- The metropolises of developing countries are often overcrowded.
  Les métropoles des pays émergents sont souvent surpeuplées.
- Globalisation has tended to aggravate inequalities.
  La mondialisation a eu tendance à aggraver les inégalités.

Conjugaison

Abréviations utilisées
p. p. : participe passé
he = he / she / it
V = verbe

1 *BE* AU PRÉSENT

AFFIRMATION	NÉGATION	INTERROGATION
am / is / are	*am not / is not / are not*	*am / is / are* + sujet
I am	I am not	am I?
he / she / it is	he / she / it is not	is he / she / it?
we are	we are not	are we?
you are	you are not	are you?
they are	they are not	are they?

Formes contractées très fréquentes
are not → aren't
is not → isn't
I am not → I'm not
he / she / it is not → he's not / she's not / it's not
we are not → we're not
you are not → you're not
they are not → they're not

2 *BE* AU PRÉTÉRIT

AFFIRMATION	NÉGATION	INTERROGATION
was / were	*was not / were not*	*was / were* + sujet
I was	I was not	was I?
he was	he was not	was he?
we were	we were not	were we?
you were	you were not	were you?
they were	they were not	were they?

Formes contractées très fréquentes
was not → wasn't, were not → weren't

3 *HAVE* AUXILIAIRE

Have auxiliaire du present perfect

AFFIRMATION	NÉGATION	INTERROGATION
have / has + p. p.	*have / has not* + p. p.	*have / has* + sujet + p. p.
I have worked	I have not worked	have I worked?
he has worked	he has not worked	has he worked?
we have worked	we have not worked	have we worked?
you have worked	you have not worked	have you worked?
they have worked	they have not worked	have they worked?

Formes contractées très fréquentes
have not → haven't
has not → hasn't
I have → I've
he / she / it has → he's / she's / it's
we have → we've
you have → you've
they have → they've

Have auxiliaire du past perfect

AFFIRMATION	NÉGATION	INTERROGATION
had + p. p.	*had not* + p. p.	*had* + sujet + p. p.
I had worked	I had not worked	had I worked?
he had worked	he had not worked	had he worked?
we had worked	we had not worked	had we worked?
you had worked	you had not worked	had you worked?
they had worked	they had not worked	had they worked?

Formes contractées très fréquentes
had not → hadn't
I had → I'd, he / she had → he'd / she'd
we had → we'd, you had → you'd, they had → they'd

4 *HAVE* VERBE LEXICAL

Présent

AFFIRMATION	NÉGATION	INTERROGATION
have / has	*do / does not + have*	*do / does + sujet + have*
I have a car	I do not have a car	do I have a car?
he has a car	he does not a car	does he have a car?
we have a car	we do not have a car	do we have a car?
you have a car	you do not have a car	do you have a car?
they have a car	they do not have a car	do they have a car?

Formes contractées très fréquentes
do not → don't, does not → doesn't

Prétérit

AFFIRMATION	NÉGATION	INTERROGATION
had	*did not + have*	*did + sujet + have*
I had time	I did not have time	did I have time?
he had time	he did not have time	did he have time?
we had time	we did not have time	did we have time?
you had time	you did not have time	did you have time?
they had time	they did not have time	did they have time?

Forme contractée très fréquente
did not → didn't

5 *HAVE GOT*

AFFIRMATION	NÉGATION	INTERROGATION
have / has got	*have / has not + got*	*have / has + sujet + got*
I have got it	I have not got it	have I got it?
he has got it	he has not got it	has he got it?
we have got it	we have not got it	have we got it?
you have got it	you have not got it	have you got it?
they have got it	they have not got it	have they got it?

Formes contractées très fréquentes
have not got → *haven't got*
has not got → *hasn't got*
I have got → *I've got*
he / she / it has got → *he's / she's / it's got*
we have got → *we've got*
you have got → *you've got*
they have got → *they've got*

6 HAVE TO ET HAVE GOT TO

● *Have to*

AFFIRMATION	NÉGATION	INTERROGATION
have / has to	*do / does not* + *have to*	*do / does* + sujet + *have to*
I have to go	I do not have to go	do I have to go?
he has to go	he does not have to go	does he have to go?
we have to go	we do not have to go	do we have to go?
you have to go	you do not have to go	do you have to go?
they have to go	they do not have to go	do they have to go?

Formes contractées très fréquentes
do not → don't, does not → doesn't

● *Have got to*

AFFIRMATION	NÉGATION	INTERROGATION
have / has got to	*have / has not* + *got to*	*have / has* + sujet + *got to*
I have got to go	I have not got to go	have I got to go?
he has got to go	he has not got to go	has he got to go?
we have got to go	we have not got to go	have we got to go?
you have got to go	you have not got to go	have you got to go?
they have got to go	they have not got to go	have they got to go?

Formes contractées très fréquentes
Ce sont les mêmes que pour *have got*.

7 *DO* VERBE LEXICAL

Présent

AFFIRMATION	NÉGATION	INTERROGATION
do / does	*do not / does not + do*	*do / does* + sujet + *do*
I do it	I do not do it	do I do it?
he does it	he does not do it	does he do it?
we do it	we do not do it	do we do it?
you do it	you do not do it	do you do it?
they do it	they do not do it	do they do it?

Formes contractées très fréquentes
do not → don't, does not → doesn't

Prétérit

AFFIRMATION	NÉGATION	INTERROGATION
did	*did not + do*	*did* + sujet + *do*
I did it	I did not do it	did I do it?
he did it	he did not do it	did he do it?
we did it	we did not do it	did we do it?
you did it	you did not do it	did you do it?
they did it	they did not do it	did they do it?

Forme contractée très fréquente
did not → didn't

AUTRES VERBES

8 PRÉSENT SIMPLE

AFFIRMATION	NÉGATION	INTERROGATION
-s à la 3e pers. du sg	*do / does not + V*	*do / does* + sujet + *V*
I play	I do not play	do I play?
he plays	he does not play	does he play?
we play	we do not play	do we play?
you play	you do not play	do you play?
they play	they do not play	do they play?

Formes contractées très fréquentes
do not → don't, does not → doesn't

9 PRÉSENT EN *BE* + V-*ING*

AFFIRMATION	NÉGATION	INTERROGATION
am / is / are + V-*ing*	*am / is / are not* + V-*ing*	*am / is / are* + sujet + V-*ing*
I am working	I am not working	am I working?
he is working	he is not working	is he working?
we are working	we are not working	are we working?
you are working	you are not working	are you working?
they are working	they are not working	are they working?

Formes contractées très fréquentes
I am not ➔ *I'm not, are not* ➔ *aren't* ou *'re not*
is not ➔ *isn't* ou *'s not*

10 PRÉTÉRIT SIMPLE

AFFIRMATION	NÉGATION	INTERROGATION
V + -*ed*	*did not* + V	*did* + sujet + V
I worked	I did not work	did I work?
he worked	he did not work	did he work?
we worked	we did not work	did we work?
you worked	you did not work	did you work?
they worked	they did not work	did they work?

Forme contractée très fréquente
did not ➔ *didn't*

▸ PRÉTÉRIT DES VERBES IRRÉGULIERS P. 248

11 PRÉTÉRIT EN *BE* + V-*ING*

AFFIRMATION	NÉGATION	INTERROGATION
was / were + V-*ing*	*was not / were not* + V-*ing*	*was / were* + sujet + V-*ing*
I was working	I was not working	was I working?
he was working	he was not working	was he working?
we were working	we were not working	were we working?
you were working	you were not working	were you working?
they were working	they were not working	were they working?

Formes contractées très fréquentes
was not ➔ *wasn't, were not* ➔ *weren't*

12 PRESENT PERFECT SIMPLE

AFFIRMATION	NÉGATION	INTERROGATION
have/has + p. p.	*have/has not* + p. p.	*have/has* + sujet + p. p.
I have worked	I have not worked	have I worked?
he has worked	he has not worked	has he worked?
we have worked	we have not worked	have we worked?
you have worked	you have not worked	have you worked?
they have worked	they have not worked	have they worked?

Formes contractées très fréquentes

have worked → *'ve worked*

has worked → *'s worked*

have not worked → *haven't* ou *'ve not worked*

has not worked → *hasn't* ou *'s not worked*

▸ PARTICIPE PASSÉ DES VERBES IRRÉGULIERS P. 248

13 PRESENT PERFECT EN *BE* + V-*ING*

AFFIRMATION	NÉGATION	INTERROGATION
have/has been + V-*ing*	*have/has not been* + V-*ing*	*have/has* + sujet + *been* + V-*ing*
I have been working	I have not been working	have I been working?
he has been working	he has not been working	has he been working?
we have been working	we have not been working	have we been working?
you have been working	you have not been working	have you been working?
they have been working	they have not been working	have they been working?

Formes contractées très fréquentes

have been working → *'ve been working*

has been working → *'s been working*

have not been working → *haven't been* ou *'ve not been working*

has not been working → *hasn't been* ou *'s not been working*

14 PAST PERFECT SIMPLE

AFFIRMATION	NÉGATION	INTERROGATION
had + p. p.	*had not* + p. p.	*had* + sujet + p. p.
I had wished	I had not wished	had I wished?
he had wished	he had not wished	had he wished?
we had wished	we had not wished	had we wished?
you had wished	you had not wished	had you wished?
they had wished	they had not wished	had they wished?

Formes contractées très fréquentes
had → *'d*
had not → *hadn't* ou *'d not*

15 PAST PERFECT EN *BE* + *V-ING*

AFFIRMATION	NÉGATION	INTERROGATION
had been + V-*ing*	*had not been* + V-*ing*	*had* + sujet + *been* + V-*ing*
I had been showing	I had not been showing	had I been showing?
he had been showing	he had not been showing	had he been showing?
we had been showing	we had not been showing	had we been showing?
you had been showing	you had not been showing	had you been showing?
they had been showing	they had not been showing	had they been showing?

Formes contractées très fréquentes
had → *'d*
had not → *hadn't* ou *'d not*

Sont mentionnés en **caractères gras** les verbes irréguliers les plus courants.

[R] signale que la forme peut être régulière.

Ainsi, *lean*, *leant* [R], *leant* [R] signifie qu'on peut trouver *leaned* à la place de *leant*.

INFINITIF	PRÉTÉRIT	P. PASSÉ	
arise	arose	arisen	survenir
awake	awoke [R]	awoken	s'éveiller
be	**was / were**	**been**	être
bear /eə/	bore	borne	porter
		be born	naître
beat	**beat**	**beaten**	battre
become	**became**	**become**	devenir
begin	**began**	**begun**	commencer
behold	beheld	beheld	contempler
bend	bent	bent	courber
beseech	besought	besought	implorer
beset	beset	beset	assaillir
bet	bet [R]	bet [R]	parier
bid	bade *ou* bid	bid *ou* bidden	offrir, ordonner
bind	bound	bound	lier
bite	bit	bitten	mordre
bleed	bled	bled	saigner
blow	blew	blown	souffler
break	**broke**	**broken**	casser
breed	bred	bred	élever
bring	**brought**	**brought**	apporter
broadcast	broadcast	broadcast	diffuser
build /ɪ/	**built**	**built**	construire
burn	**burnt** [R]	**burnt** [R]	brûler
burst	burst	burst	éclater
buy	**bought**	**bought**	acheter
cast	cast	cast	jeter
catch	**caught**	**caught**	attraper
choose /uː/	**chose** /əʊ/	**chosen** /əʊ/	choisir
cling	clung	clung	s'accrocher
come	**came**	**come**	venir
cost	**cost**	**cost**	coûter
creep	crept	crept	ramper
cut	**cut**	**cut**	couper
deal /iː/	dealt /e/	dealt /e/	distribuer
dig	dug	dug	creuser
do	**did**	**done**	faire
draw	**drew**	**drawn**	dessiner, tirer
dream	**dreamt** [R]	**dreamt** [R]	rêver
drink	**drank**	**drunk**	boire
drive	**drove**	**driven**	conduire
dwell	dwelt [R]	dwelt [R]	résider
eat	**ate** /eɪ/	**eaten**	manger

INFINITIF	PRÉTÉRIT	P. PASSÉ	
fall	**fell**	**fallen**	tomber
feed	fed	fed	nourrir
feel	**felt**	**felt**	ressentir
fight	**fought**	**fought**	combattre
find	**found**	**found**	trouver
flee	fled	fled	fuir
fling	flung	flung	lancer
fly	**flew**	**flown**	voler [avec des ailes]
forbid	forbade /æ/	forbidden	interdire
forecast	forecast	forecast	prévoir
forget	**forgot**	**forgotten**	oublier
forsake	forsook	forsaken	abandonner
freeze	froze	frozen	geler
get	**got**	**got**	obtenir
give	**gave**	**given**	donner
go	**went**	**gone**	aller
grind	ground	ground	moudre
grow	**grew**	**grown**	pousser
hang	hung	hung	pendre
have	**had**	**had**	avoir
hear /ɪə/	**heard** /ɜː/	**heard** /ɜː/	entendre
hide /aɪ/	**hid** /ɪ/	**hidden** /ɪ/	cacher
hit	**hit**	**hit**	frapper
hold /əʊ/	**held**	**held**	tenir
hurt /ɜː/	**hurt**	**hurt**	faire mal
keep	**kept**	**kept**	garder
kneel	knelt [R]	knelt [R]	s'agenouiller
know /əʊ/	**knew**	**known**	savoir, connaître
lay	**laid**	**laid**	étendre, poser
lead /iː/	**led**	**led**	mener
lean /iː/	leant /e/ [R]	leant /e/ [R]	appuyer
leap /iː/	leapt /e/ [R]	leapt /e/ [R]	sauter
learn	**learnt** [R]	**learnt** [R]	apprendre
leave	**left**	**left**	quitter
lend	lent	lent	prêter
let	**let**	**let**	laisser, louer
lie	**lay**	**lain**	être allongé
light	lit [R]	lit [R]	allumer
lose /uː/	**lost** /ɒ/	**lost** /ɒ/	perdre
make	**made**	**made**	faire
mean /iː/	**meant** /e/	**meant** /e/	vouloir dire
meet /iː/	**met** /e/	**met** /e/	rencontrer
mistake	mistook	mistaken	se méprendre
overhang	overhung	overhung	surplomber
pay	**paid**	**paid**	payer
put	**put**	**put**	poser
quit	quit [R]	quit [R]	abandonner
read /iː/	**read** /e/	**read** /e/	lire
rend	rent	rent	déchirer
rid	rid	rid	débarrasser
ride	rode	ridden	aller à cheval, à bicyclette

249

INFINITIF	PRÉTÉRIT	P. PASSÉ	
ring	**rang**	**rung**	sonner
rise	**rose**	**risen**	se lever
run	**ran**	**run**	courir
saw /ɔː/	sawed	sawn [R]	scier
say /eɪ/	**said** /e/	**said** /e/	dire
see	**saw**	**seen**	voir
seek	sought	sought	chercher
sell	**sold**	**sold**	vendre
send	**sent**	**sent**	envoyer
set	**set**	**set**	placer, fixer
sew	sewed	sewn [R]	coudre
shake	shook	shaken	secouer
shave	shaved	shaven [R]	raser
shed	shed	shed	verser
shine	shone /ɒ/	shone /ɒ/	briller
shoot	shot	shot	tirer, abattre
show	**showed**	**shown** [R]	montrer
shrink	shrank	shrunk	rétrécir
shut	**shut**	**shut**	fermer
sing	**sang**	**sung**	chanter
sink	sank	sunk	sombrer
sit	**sat**	**sat**	être assis
slay	slew	slain	massacrer
sleep /iː/	**slept** /e/	**slept** /e/	dormir
slide	slid	slid	glisser
sling	slung	slung	lancer
slit	slit	slit	fendre
smell	**smelt** [R]	**smelt** [R]	sentir
sow	sowed	sown [R]	semer
speak	**spoke**	**spoken**	parler
speed	sped [R]	sped [R]	aller très vite
spell	spelt [R]	spelt [R]	épeler
spend	**spent**	**spent**	passer, dépenser
spill	spilt [R]	spilt [R]	renverser
spin	spun	spun	filer, tournoyer
spit	spat	spat	cracher
split	split	split	fendre, séparer
spoil	spoilt [R]	spoilt [R]	gâcher
spread /e/	**spread**	**spread**	étaler
spring	sprang	sprung	bondir
stand	**stood**	**stood**	être debout
steal	**stole**	**stolen**	voler, dérober
stick	stuck	stuck	coller, mettre
sting	stung	stung	piquer
stink	stank	stunk	sentir mauvais
stride	strode	stridden	marcher à grands pas
strike	**struck**	**struck**	frapper
string	strung	strung	enfiler
swear	swore	sworn	jurer
sweep	swept	swept	balayer
swell	swelled	swollen [R]	enfler
swim	**swam**	**swum**	nager

INFINITIF	PRÉTÉRIT	P. PASSÉ	
swing	swung	swung	balancer
take	took	taken	prendre
teach	taught	taught	enseigner
tear	tore	torn	déchirer
tell	told	told	dire, raconter
think	thought	thought	penser
throw /əʊ/	threw /uː/	thrown /əʊ/	lancer
thrust	thrust	thrust	pousser
tread	trod	trodden	fouler aux pieds
understand	understood	understood	comprendre
undertake	undertook	undertaken	entreprendre
unwind /aɪ/	unwound /aʊ/	unwound /aʊ/	dérouler
upset	upset	upset	bouleverser
wake	woke [R]	woken [R]	réveiller
wear /eə/	wore	worn	porter [vêtement]
weave	wove	woven	tisser
weep	wept	wept	pleurer
win	won /ʌ/	won /ʌ/	gagner
wind /aɪ/	wound /aʊ/	wound /aʊ/	enrouler
withdraw	withdrew	withdrawn	retirer
withstand	withstood	withstood	résister à
wring	wrung	wrung	tordre
write /raɪt/	wrote /rəʊt/	written /ˈrɪtən/	écrire

Cet ouvrage est composé
en Meta Pro pour le texte,
Schneidler pour les exemples,
Stone Sans pour les lexiques
et Tarzana pour les notes

Achevé d'imprimer en juin 2015 par Normandie Roto Impression s.a.s., 61250 Lonrai
N° d'impression : 1502416 - Dépôt légal : 93832-0 / 06 - juin 2015 - *Imprimé en France*